世界中で話題の会話

# ChatGPT 120%活用術

ChatGPTビジネス研究会

宝島社

## 本書の注意点

- 本書は、2023年4月上旬現在のChatGPT無料版、およびBingチャット検索を使用しています。ChatGPT有料版（ChatGPT Plus）を使用した部分には、その旨、記載してあります。
- 本書は、2023年4月上旬の情報をもとに掲載しています。製品、サービス、アプリの概要などは、事前のお知らせなしに内容・価格が変更されたり、販売・配布が中止されたりすることがあります。あらかじめご了承ください。
- 本書では、Windows 11/10、Google Chrome、Microsoft Edge、およびMicrosoft 365版のExcelのそれぞれの最新版をもとに画面を掲載し、動作を確認しています。OSのバージョンや機種によっては、動作や画面が異なることがあります。
- 本書に掲載したアプリ名、会社名、製品名などは、米国およびその他の国における登録商標または商標です。本書において、TM、©マークは明記しておりません。
- 本書の掲載内容に基づいて操作する場合、操作ミスなどによる不具合の責任は負いかねます。
- 本書に関するご質問は、ファクス（03-3239-3688）または封書（返信用切手を同封の上）のみで受付いたします。追ってファクスまたは封書で回答させていただきます。内容によっては、回答に時間を要することがございます。
- 本書では、紙数の関係でChatGPTやBingチャット検索の回答の一部を省略しています。省略した箇所には「中略」または「後略」と示しています。
- ChatGPTやBingチャット検索は、毎回異なる回答を行います。本書に掲載した回答は、一例に過ぎません。

# はじめに

2022年11月30日に公開された「ChatGPT」（チャット・ジーピーティー）は、史上最速のペースでユーザーを増やし続け、2カ月でアクティブユーザーが1億人に達しました。これはTikTokやInstagramの記録を大きく塗り替えるものです。今では、テレビのニュースでもたびたび取り上げられ、みなさんも「ChatGPT」という言葉を耳にしたことがあるかもしれません。

ただ、実際に使ってみたことのある人はまだ少数派です。使ってみたけれど「何に使えるのかが今ひとつよくわからない」「誤った情報ばかり表示される」などと思っている人も多いでしょう。あるいは、「自分の仕事がなくなるかもしれない」「AIが人間を滅ぼすのではないか」などと恐れている人もいるかもしれません。ChatGPTに対してどういった評価を下すにしても、まずはどんなものかを知らなければ、正しい評価はできません。

本書は、そういったChatGPT初心者のために作られました。使い始めるための登録方法から、さまざまな使い方まで紹介してあります。とくに、ビジネスでの応用に絞って用例を集めてあります。

ChatGPTは大変高性能なシステムですが、現時点では「どんな使い方をしても効果的だ」とはいいにくく、コツが必要です。本書では、ChatGPTを使いこなすためのコツもいろいろ紹介していますので、それらも参照してぜひ自分でChatGPTと対話してみてください。自分で使ってみることで、現時点でChatGPTが持つ可能性と限界が見えてくることでしょう。

また、本書で紹介した使い方以外にも、ChatGPTはいろいろなことに使えます。たとえば、プログラミングに使うと大変便利です。プログラムを書けない人や苦手な人でも、ある程度の周辺知識があれば、自分で小さなアプリを作ることができます。本書を読んでChatGPTに興味を持てたら、ぜひともネットなどで調べてみてください。

本書がChatGPTを仕事や生活にうまく利用するための助けになることを願っています。

世界中で話題の会話型AI
ChatGPT 120%活用術

# CONTENTS

## CHAPTER 4 ChatGPTで文書を作成してみよう

## CHAPTER 5 ChatGPTで文字データを処理してみよう



## CHAPTER 6 パソコンの使い方をChatGPTに教えてもらおう

## CHAPTER 7 Bingチャット検索の使い方を知っておこう

CHAPTER

## 8 ChatGPTをもっと使いこなすには



### 本書の記述について

本書では、ユーザーが入力する文章（プロンプト）とChatGPT（またはBingチャット検索）からの回答を色分けして表示しています。

TJ 九百五十一万七千八百六十九をアラビア数字に直してください。

AI 九百五十一万七千八百六十九をアラビア数字に直すと、9517869となります。

**プロンプト**
自分で入力する部分です

**回答**
ChatGPTまたは
Bingチャット検索の出力です

CHAPTER 1

# ChatGPTを使う前に

CHAPTER 1

# 01 ChatGPTとは何か

##  ChatGPTのしくみ

ChatGPTは2022年11月に登場し、あっという間に全世界で多数の利用者を獲得しました。現在ではテクノロジー業界だけではなく、政府や一般企業、学校、家庭にまで影響を及ぼしつつあるChatGPTについて、どんなものなのかを簡単に説明しておきます。

**ChatGPTとは「Chat Generative Pre-trained Transformer」(チャット生成可能な事前学習済み変換器)の略で、米OpenAI社が開発したチャットボットです**。人間が何か文章を入力すると、それに合わせて素早く文章を返してくれるシステムを実現しています。以前のAIと比べると、応答が非常に自然で、あたかも人間が書いたかのような文章を作り出すことができます。

なぜそんなことができるのでしょうか。ごく簡単にChatGPTのしくみを説明すると、ChatGPTは「GPT-3.5」と呼ばれる大規模言語モデル(Large Language Model＝LLM) をベースに動作しています。大規模言語モデルは、自然言語やプログラミング言語による大量の用例を集め、深層学習によって言葉同士のつながりを計算して、入力された言葉のあとにどの言葉が続く確率が高いかを導き出すものです。

ChatGPTは入力された文章(本書では「プロンプト」といいます) に対する回答を計算によって導き出してユーザーに返しますが、その際、会話が成立しやすいように作り込まれています。

ユーザーがChatGPTに質問や指示を送り、それに対してChatGPTが答える。ユーザーの送る質問や指示のことを「プロンプト」という

## ChatGPTでできること

ChatGPTは、以前「AI」と呼ばれていた製品とは、桁違いの精度と柔軟性を持っています。これは、使用しているLLM（GPT-3.5）が以前のものより非常に巨大であることが理由です。大量の用例を集め、深層学習を深く進めることで、出力の品質が大幅に改善され、**条件次第では人間の書く文章と見紛うようなクオリティの回答を得られるようになりました**。

それを利用して、以下のような用途が考えられています。

・単語や文章の意味を説明してもらう
・外国語を翻訳してもらう
・条件に合った文章を書いてもらう
・プログラムのコードを書いてもらう
・文章を修正してもらう
・日常会話に的確に反応してもらう

これ以外にも、さまざまな使い方が提案されています。本書で取り上げたのはその一部に過ぎません。

### 概念の意味を教えてもらう

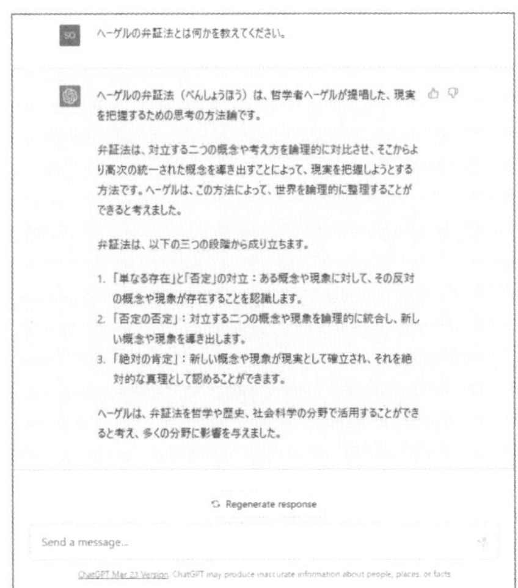


古くからある概念については、多少難しい概念であってもChatGPTなら解説してくれる

### プログラムのコードを書いてもらう

ChatGPTはプログラミングの補助もできる。動作と言語を指定すれば、コードを書いてもらうことが可能だ

## しくみで必ず理解しておくべきこと

ChatGPTの動作で必ず理解しておくべきなのは、ChatGPTは何かを思考して回答を作成しているのではないことです。あるいは、何らかの体系的な情報を内部に保持して、それと照らし合わせて回答を作っているわけでもありません。単純に、**入力されたプロンプトに対して、よく使われている言葉を数珠つなぎにして出力しているのです**。その際、**どの言葉を出力するかを決めるのに、確率を用いた操作を行います**。つまり、最もよく使われている言葉のみを出力するのではなく、2番目以降の言葉も使用します。

こういった動作をするため、「ごく一般的な質問をすれば、ごく当たり前の回答が返ってくる」「質問するたびに回答が変わる」という事態になるのです。ChatGPTに対する「ChatGPTの回答は面白味がない」とか「聞くたびに違う答えが返ってくる」という批判は、本質的な問題をとらえていないともいえます。

## 一般的な質問に対しては、ごく当たり前の回答が返ってくる

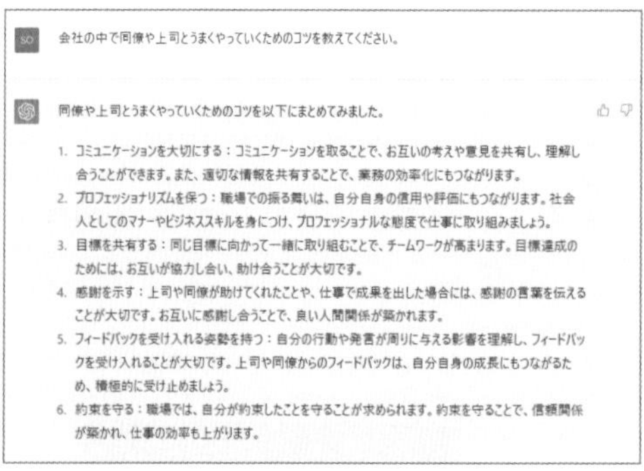
SO 会社の中で同僚や上司とうまくやっていくためのコツを教えてください。

同僚や上司とうまくやっていくためのコツを以下にまとめてみました。

1. コミュニケーションを大切にする：コミュニケーションを取ることで、お互いの考えや意見を共有し、理解し合うことができます。また、適切な情報を共有することで、業務の効率化にもつながります。
2. プロフェッショナリズムを保つ：職場での振る舞いは、自分自身の信用や評価にもつながります。社会人としてのマナーやビジネススキルを身につけ、プロフェッショナルな態度で仕事に取り組みましょう。
3. 目標を共有する：同じ目標に向かって一緒に取り組むことで、チームワークが高まります。目標達成のためには、お互いが協力し合い、助け合うことが大切です。
4. 感謝を示す：上司や同僚が助けてくれたことや、仕事で成果を出した場合には、感謝の言葉を伝えることが大切です。お互いに感謝し合うことで、良い人間関係が築かれます。
5. フィードバックを受け入れる姿勢を持つ：自分の行動や発言が周りに与える影響を理解し、フィードバックを受け入れることが大切です。上司や同僚からのフィードバックは、自分自身の成長にもつながるため、積極的に受け止めましょう。
6. 約束を守る：職場では、自分が約束したことを守ることが求められます。約束を守ることで、信頼関係が築かれ、仕事の効率も上がります。

一般的で条件の少ない質問については、当たり前の回答が得られる。「特徴がない」という印象を受けるかもしれない

## 同じ質問でも異なる回答が得られる

SO 会社の中で同僚や上司とうまくやっていくためのコツを教えてください。

以下は、会社の中で同僚や上司とうまくやっていくためのいくつかのコツです。

1. コミュニケーションを大切にする：コミュニケーションは、同僚や上司との関係を構築する上で非常に重要です。相手と良好な関係を築くためには、積極的に話し合い、意見を交換し、理解し合うことが必要です。
2. ポジティブな態度を持つ：ポジティブな態度は、同僚や上司とのコミュニケーションを円滑にするのに役立ちます。ネガティブな態度や不満を持っている場合は、その原因を見つけ、解決するように努めましょう。
3. 相手の立場や視点を理解する：相手の立場や視点を理解することは、相手とのコミュニケーションを円滑にする上で非常に重要です。相手が何を求めているか、どのような状況に置かれているかを理解し、その上で適切なアプローチをとることが必要です。
4. 好意を示す：同僚や上司に対して、好意を示すことで、より良好な関係を築くことができます。例えば、お誕生日や結婚記念日などの特別な日には、メッセージを送ったり、プレゼントを贈ったりすることが良いでしょう。

プロンプトが同じだったとしても、回答が同じとは限らない。通常は、かなり異なる回答が得られる。ここでは、1回目は6項目、2回目は13項目の回答が得られた

CHAPTER 1

# 02 ChatGPT利用時の注意点



##  うまく使いこなすにはどうすればよいか

前節で解説したように、ChatGPTのポテンシャルは非常に高いといえます。どんなことをたずねても、必ず何らかの回答が得られます。プロンプトを工夫すれば、文体を工夫して答えることも可能で、何でも聞いてみたくなるでしょう。

そこで、ChatGPT利用時に注意すべき点をいくつか挙げておきます。

### 計算は不得手

ChatGPTが利用するGPT-3.5はそもそも大規模言語モデルであって、数値計算や論理計算のためのしくみを内蔵していません。そのため、小学生でもできそうな5桁の数字同士の足し算でも誤った答えを返してしまいます。もちろん、高校生が学習するような高度な数学の問題も解けません。

### 論理的な推論ができない

ChatGPTと対話を繰り返していると、論理的な推論を行っているかのように感じられるかもしれませんが、実際にはそうではありません。あたかも論理的に推論しているかのように、大規模言語モデルから言葉を拾ってきて組み立てて返してくるだけです。そのため、論理パズルのような質問すべてに正解することはできません。

### 回答が安全とは限らない

ChatGPTが利用するGPT-3.5の中には、犯罪に使われるような危険な情報も含まれているといわれています。しかし、プロンプトでその情報を聞いても、ChatGPTは答えないように設定されています。

ただ、プロンプトを工夫することで危険な情報を引き出そうと試みた場合、ごくまれにその試みが成功してしまうことがあります。

### 検索エンジンの代わりにはならない

GPT-3.5には、2021年までの情報しか含まれていないとされています。そのため、現在の情報をたずねても正しい答えが返ってくるとは限りません。たとえばChatGPTが登場したとき、「現在の日本の首相は誰か」とたずねると「菅義偉」と古い情報に基づく回答が返ってきていました（正解は「岸田文雄」）。最新の情報を知りたいのであれば、通常の検索エンジンを使うべきでしょう。

### 機密事項を入力してはいけない

ChatGPTは、ユーザーが入力したプロンプトをサービス改善のために利用することがあります。つまり、入力したプロンプトの一部がほかのユーザーへの回答に使われることが考えられます。もし機密事項を入力すると、ChatGPTの学習データ経由で流出する可能性があるわけです。社外秘の情報や個人情報を入力するのは危険です。

### 正解ではなく、アドバイスやアイデアを求めるのに向く

すでに述べたように、正しい知識を整理して内蔵しているわけではないため、何らかの問題に対して正解を求めるのには向いていません。一方、プロンプトで与えられた言葉に関連した情報を集めて返す機能に優れているため、アドバイスやアイデアを求めるような使い方をすれば、かなりの力を発揮するでしょう。たとえば、何らかの企画を考えてもらう仕事は、ChatGPTに向いています。ChatGPTの回答を叩き台にして出力させ、さらにそれをChatGPTでブラッシュアップするといった使い方も可能です。

### 自動記事生成は難しい

ChatGPT登場直後は、「SEO目的の記事は、ChatGPTで自動生成できるのではないか」といわれました。Webライターと呼ばれる人たちが仕事を失ってしまうような事態も懸念されましたが、現在ではChatGPTによる自動生成は難しいという結論に落ち着きつつあります。

ChatGPTにテーマを与えて文章を作らせると、確かにある程度の長さの記事は作成可能です。ただ、ChatGPTの性質上、「誤りが含まれる」「ごく一般的な話の流れしか作れない」という結果を避けにくく、結局、人間の目で内容をチェックせざるを得ません。

CHAPTER 1

# 03 ChatGPTの有料プランとは

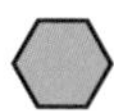

## わざわざ使用料金を払う価値はあるのか

本稿執筆現在、ChatGPTは、アカウント登録さえすれば、無料で利用できます（アカウント登録はCHAPTER2を参照）。これに対して、有料プラン「ChatGPT Plus」が月額20米ドル（日本円で約2670円）で提供されています。有料プランにはいくつかのメリットがあります。

現在、ChatGPTは時間帯によってはサービス全体にかなりの負荷がかかっており、途中でエラーが生じたり、反応が遅くなってしまったりします。**有料プランでは、いつでも高速な反応が期待できます**。

また、有料プランでは大規模言語モデルとして**GPT-4を使ったバージョンのChatGPTを利用可能です**。GPT-3.5とGPT-4では、使い方によっては大きな差が出てくるので、ChatGPTの能力を最大限に引き出したいなら、有料プランを契約するといいでしょう。なお、有料プランでも、GPT-4は3時間に25回までしかプロンプトを入力することができません。

GPT-4を使ったChatGPT有料版のメリットについて、次にまとめます。

### 創造力が強い

GPT-4のストーリーを作るスキルは、GPT-3.5よりもかなり高くなっています。GPT-3.5では平凡で短いお話しか作れませんが、GPT-4では複雑で長いお話を作ることができます。

### 回答がより正確に

GPT-3.5に比べると、GPT-4は正確な回答を返す確率が高いといわれています。これは、GPT-4が言語モデルとしてGPT-3.5よりもかなり大きいからで、GPT-3.5より「頭がいい」といってもいいでしょう。ただし、誤った回答がまったくないわけではありません。

## 「記憶力」が優れている

ChatGPTでは、プロンプトで条件を与えておき、それにしたがって回答していくように指示できます。しかし、対話を続けていくと、いつしかその条件を忘れてしまい、条件に合わない回答を返すようになってしまいます。

これは条件などを覚えておくメモリ領域が不足したために生じる現象ですが、GPT-4ではそのメモリ領域が増やされています。そのため、GPT-3.5よりも長く条件を覚えていられるようになり、「記憶力」が上がったように見えるのです。

また、プロンプトに一度に入力できる文字数も増えています。GPT-3.5では3000文字程度だとされていますが、GPT-4では2万5000文字程度まで拡張されました。8倍程度になったわけです。

## 安全性が高まった

GPT-4では、GPT-3.5よりも安全性が高まり、危険な情報を回答に含めてしまうことが減りました。これにより、より広く使いやすくなったといえるでしょう。

## 有料プランの登録方法

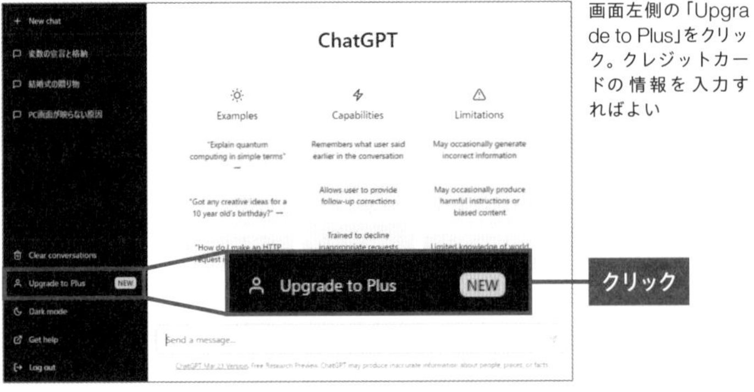


画面左側の「Upgrade to Plus」をクリック。クレジットカードの情報を入力すればよい

COLUMN

### GPT-4は画像をプロンプトに含められる

GPT-4では、画像を入力に使えるようになりました（マルチモーダル対応）。画像をプロンプトとして与えて、その画像について説明させるなどの使い方が可能です。ただし、ChatGPTでは、残念ながらその機能は使えません。

CHAPTER 2

# ChatGPTを使う準備をする

CHAPTER 2

# 01 ChatGPTに登録する

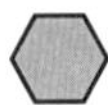

## ChatGPTのアカウントを作成する

ChatGPTを使うには、はじめに公式サイトでアカウントを作成する必要があります。**アカウントの作成には、メールアドレスとSMS（ショートメッセージ）を受信できる電話番号が必要になります**ので、あらかじめ用意してから作成を始めましょう。ここでは、Google Chromeを使った手順を解説します。

### 1 公式サイトにアクセスする

OpenAIのページ（https://openai.com/）を開くと、この画面が表示されるので、「Try ChatGPT」をクリックする

### 2 サインアップを実行する

ChatGPTのログイン画面が表示されるので、「Sign up」をクリックする

## 3 メールアドレスを入力する

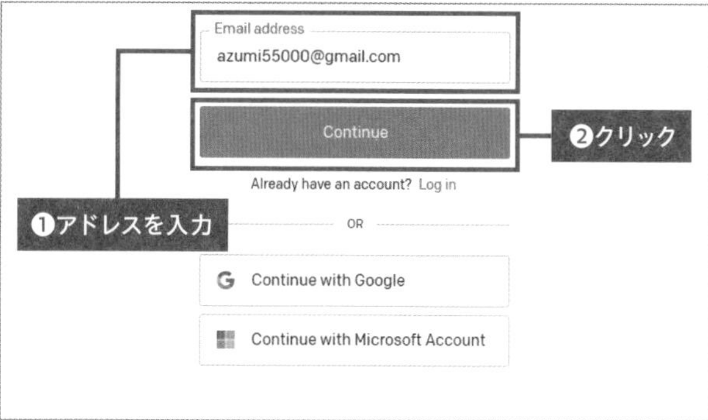


「Email address」にメールアドレスを入力して「Continue」をクリックする

ログインにGoogleアカウントやMicrosoftアカウントを利用したい場合は、下のボタンをクリックします。この場合、次のパスワードの入力は不要です。

## 4 パスワードを決める

ChatGPT用のパスワードを決めて「Password」に入力し、「Continue」をクリックする

## 5 メールアドレスを認証する

入力したメールアドレス宛に届いたメールを開き、「Verify email address」をクリックする

CHAPTER 2 ChatGPTを使う準備をする

## 6 名前を入力する

「Tell us about you」に名前を入力して「Continue」をクリックする

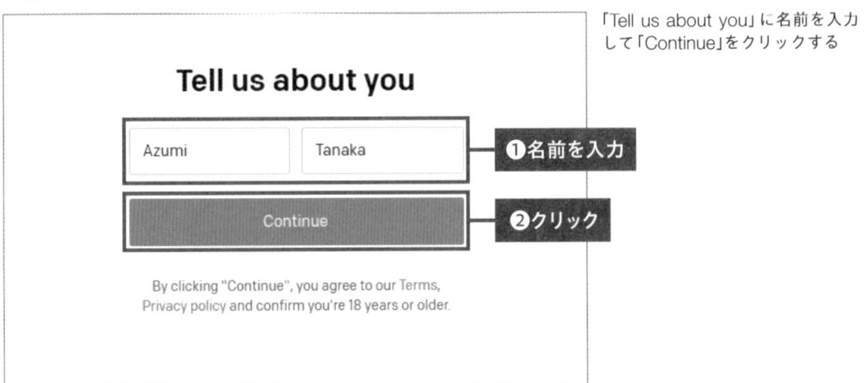


## 7 電話番号を入力する

「Verify your phone number」にショートメッセージが受信できる電話番号を入力し、「Send code」をクリックする

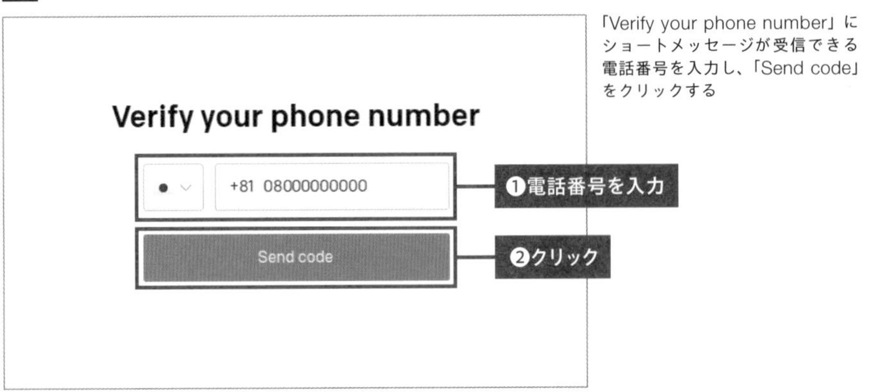


## 8 届いたコードを入力する

ショートメッセージに届いた6桁のコードを「Enter code」に入力する。正しいコードが入力されると、アカウントの作成は完了。ChatGPTを利用できるようになる

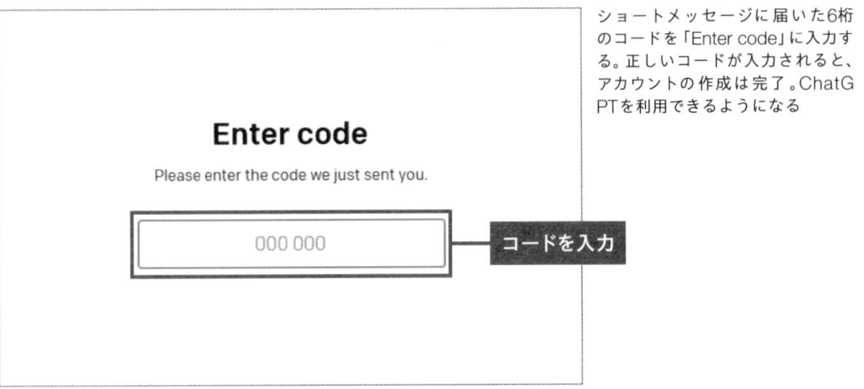

CHAPTER 2

# 02 ChatGPTの使い方を知る

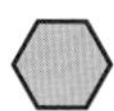

## ChatGPTで新しいチャットを始める

ChatGPTの基本的な使い方は、普通のチャットと同じです。聞きたいことを入力すると、ChatGPTから回答が返ってくるので、あとは知りたいことを質問しつつ会話を続けていくだけです。

**ChatGPTでは、質問のことを「プロンプト」と呼びます**。プロンプトに書かれた内容が詳細なほど、より高い精度の回答が得られるようになります。なお、**ChatGPTは同じプロンプトを入力しても、毎回違う表現で回答します**。内容が気に入らなければ、再回答させるといいでしょう。

### 1 質問を入力する

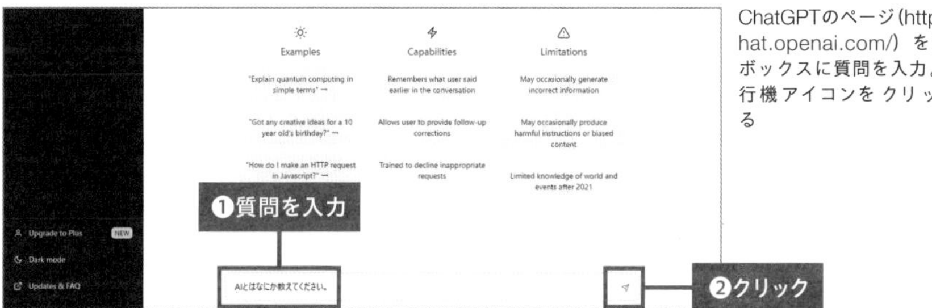


ChatGPTのページ（https://chat.openai.com/）を開き、ボックスに質問を入力。紙飛行機アイコンをクリックする

### 2 回答が表示される

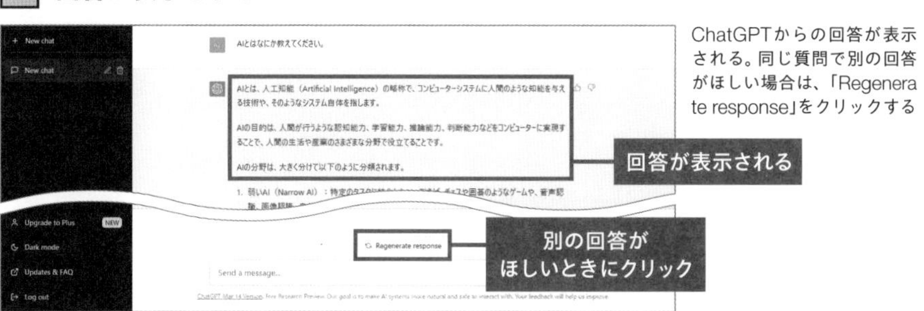


ChatGPTからの回答が表示される。同じ質問で別の回答がほしい場合は、「Regenerate response」をクリックする

## 3 続けて質問する

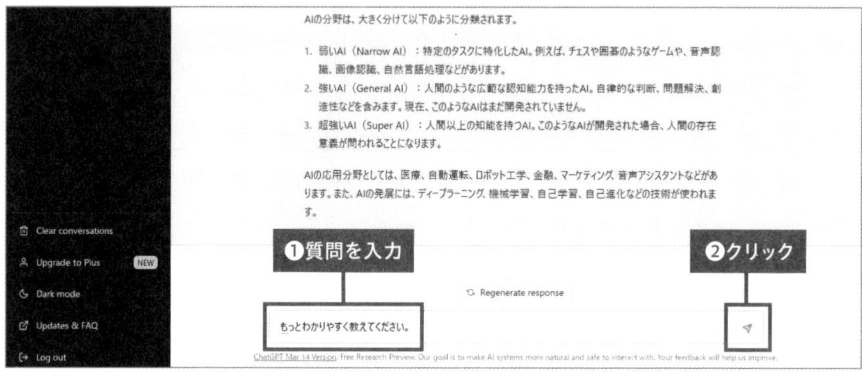


さらに質問をするときは、同じ手順で質問を入力して紙飛行機アイコンをクリックする

## 4 続きの質問の回答が表示される

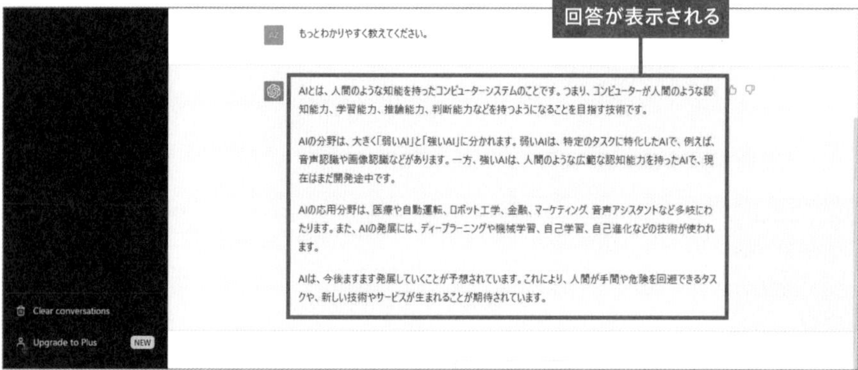


続きの質問の回答が表示される。前の質問の関連であれば、話の流れに沿った回答が表示される

## 5 回答を途中で止める

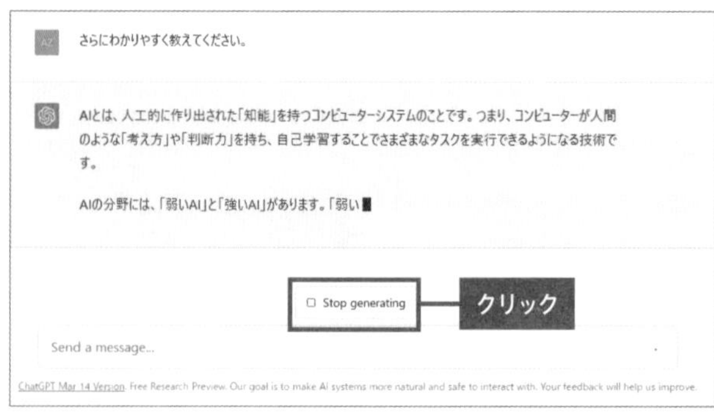


回答を途中で止めるには「Stop generating」をクリックする。プロンプトを変更したいときや回答が的外れだとわかった場面で使うと便利だ

##  新しいチャットを作成する

ChatGPTは前のプロンプトと回答の内容を覚えているので、違う話題に移りたいときにそのまま会話を続けると、おかしな回答を返してしまうことがあります。そのため、**違う話題に変えたいときは、新しいチャットを作成します**。なお、ChatGPTでは過去のチャットを保存しているので、**履歴から以前のチャットを呼び出せば、その続きから再開することも可能です**。

### 1 新しいチャットを作成する

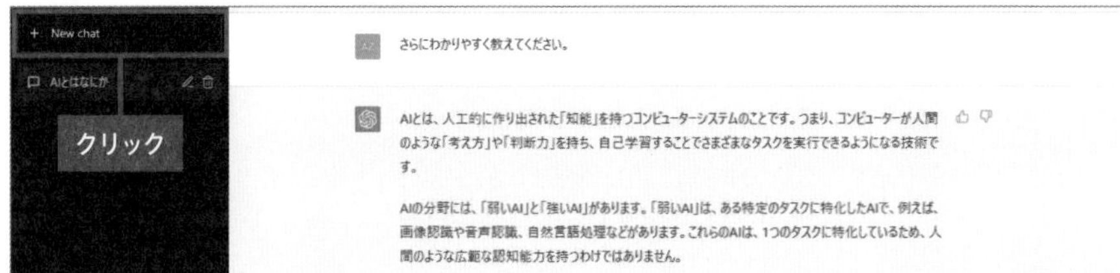


新しいチャットを作成するには、画面左上にある「New chat」をクリックする

### 2 チャットを開始する

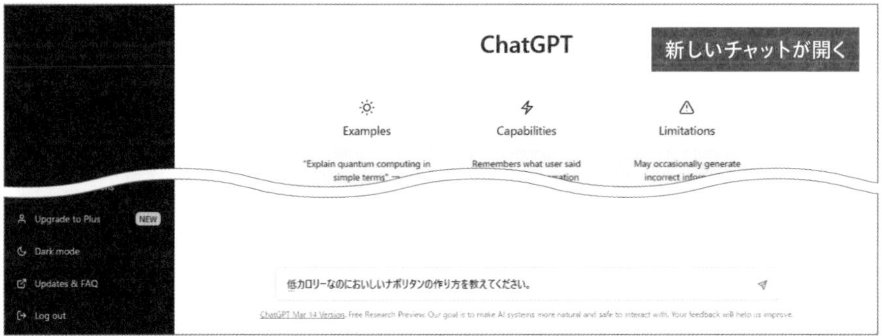


新しいチャット画面が開く。あとは同じように質問を入力してチャットを始めればよい

### 3 以前のチャットを開く

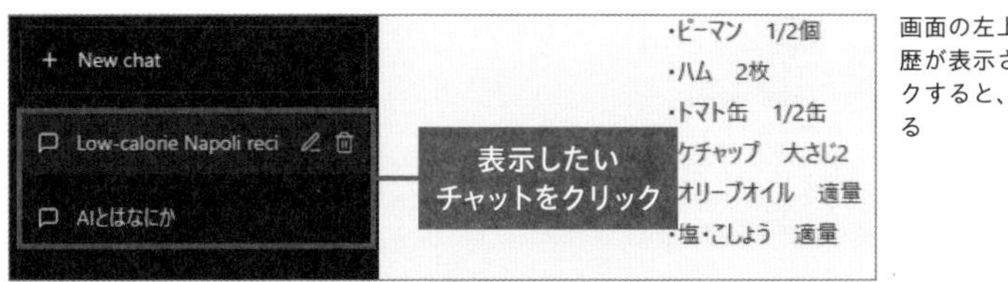


画面の左上には、過去のチャット履歴が表示されている。履歴をクリックすると、そのチャットを再開できる

CHAPTER 2

# 03 スマホでChatGPTを使うには

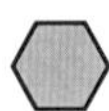

## スマホでChatGPTのアカウントを作成する

ChatGPTには、スマホ用の公式アプリはまだ存在しません。(注) そのため、**スマホからChatGPTのアカウントを作成するには、ブラウザーを利用します**。スマホ向けChatGPTアプリも存在しますが、大半のアプリがアプリ内課金を利用しており、とくに利用するメリットもないのでおすすめしません。

ここでは、iPhoneでChromeアプリを使った手順を解説します。

### 1 公式サイトにアクセスする

OpenAIのページ（https://chat.openai.com/）を開くと、この画面が表示されるので、チェックボックスをタップしてチェックする

### 2 サインアップを実行する

ログインするか、アカウントを作成するかをたずねられるので、「Sign up」をタップしてアカウント作成の手順を実行する。もしアカウントをすでに持っている場合は、「Log in」をタップする

### 3 メールアドレスを入力する

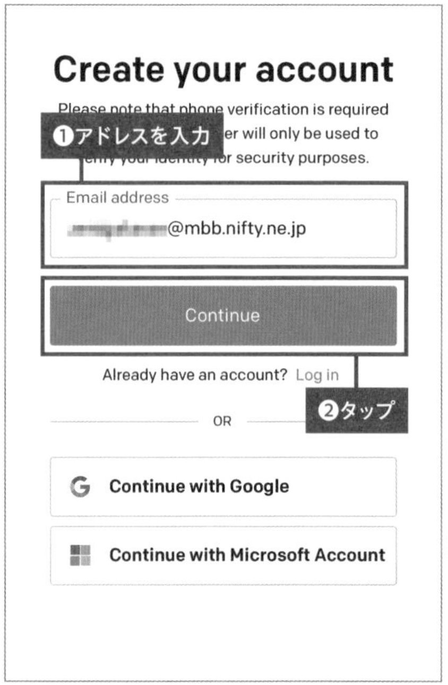


「Email address」にメールアドレスを入力して「Continue」をタップ。ログインにGoogleアカウントやMicrosoftアカウントを利用したい場合は、下のボタンをタップする

（注）情報は2023年4月時点。2023年5月にiPhone／iPad向けアプリがリリースされたので、App Storeで「OpenAI」で検索してChatGPTアプリをインストールするとよい。Android向けアプリは2023年6月時点では未提供のため、本書記載どおりに操作する。

## 4 パスワードを決める

ChatGPT用のパスワードを決めて「Password」に入力し、「Continue」をタップする

## 5 ログインする

手順3 4で入力したメールアドレスとパスワードでログインする。今度は「Log in」をタップする

## 6 メールアドレスを再入力する

手順3で入力したメールアドレスを入力して、「Continue」をタップする

## 7 パスワードを再入力する

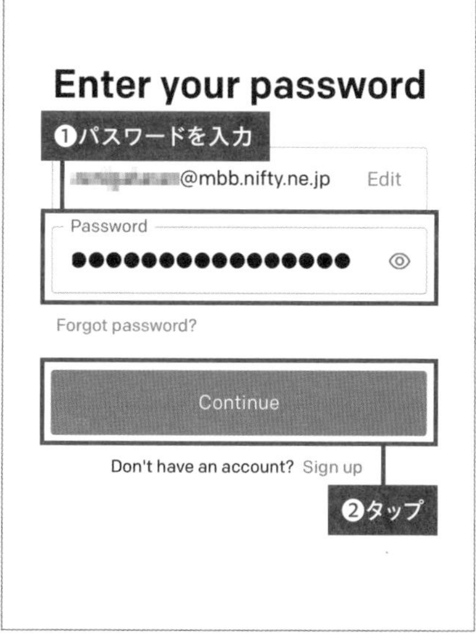


「Password」に手順4で決めたパスワードを入力して、「Continue」をタップする

## 8 認証を行う

この画面が表示されたら、チェックボックスをタップ

## 9 確認メールが送信される

Verify your email

We sent an email to
@mbb.nifty.ne.jp.
Click the link inside to get started.

Resend email

先に入力したメールアドレス宛に確認メールが送信される

## 10 メールをチェックする

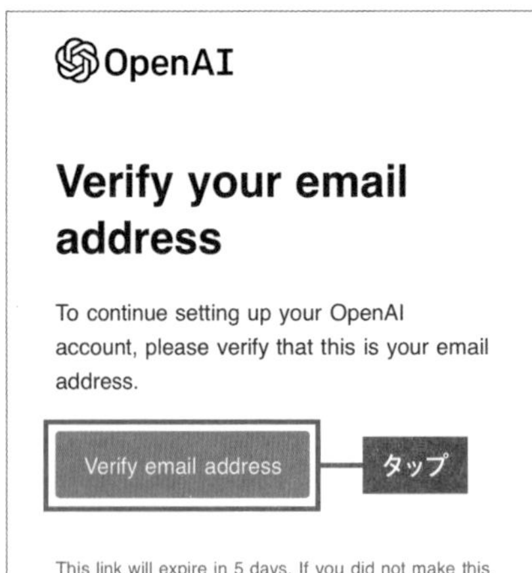


確認メールが届いたら、「Verify email address」をタップする

## 11 ユーザー名を入力する

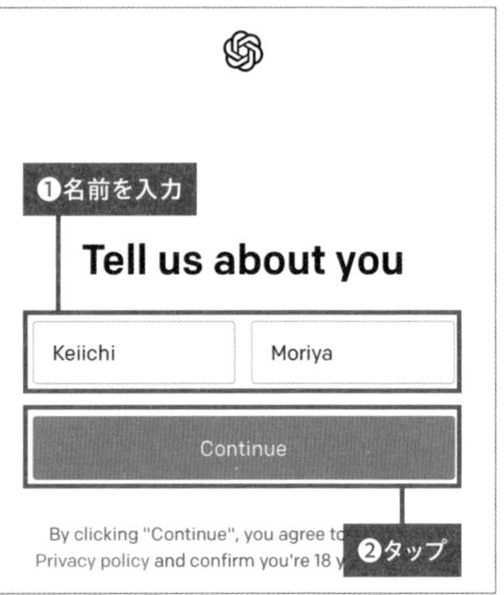


名前を入力して、「Continue」をタップする

## 12 電話番号を入力する

SMSが受信できるスマホの電話番号を入力し、「Send code」をタップする。なお、電話番号のうち、市外局番の最初の「0」は除いて入力する

## 13 認証コードが送信される

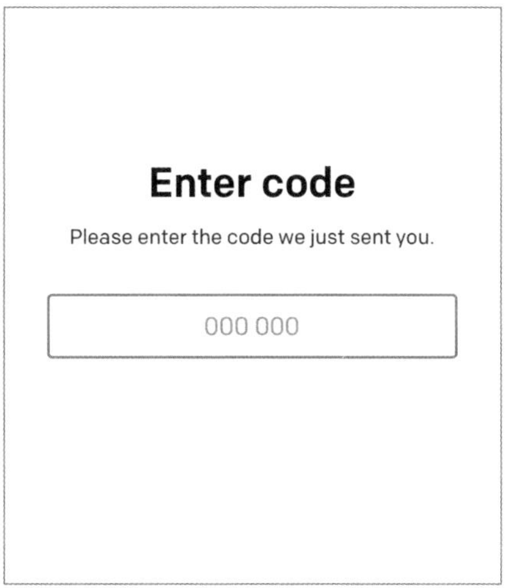


入力した電話番号宛に認証コードがSMSで送信されると、この画面が表示される

## 14 認証コードを受信する

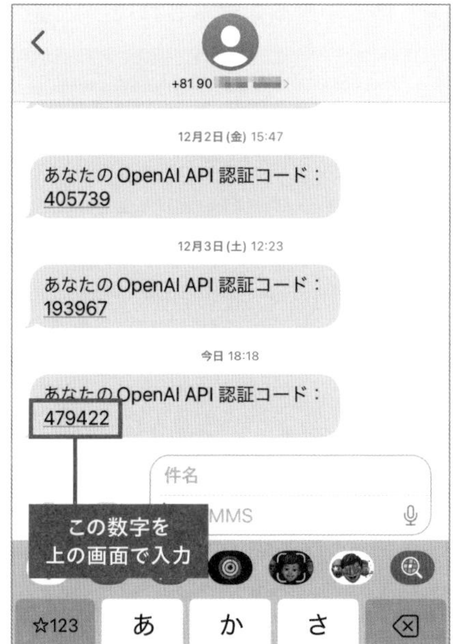


認証コードがスマホに届いたら、「メッセージ」アプリを開いて届いた認証コードを確認して、手順13の画面に入力する

## 15 注意事項などが表示される

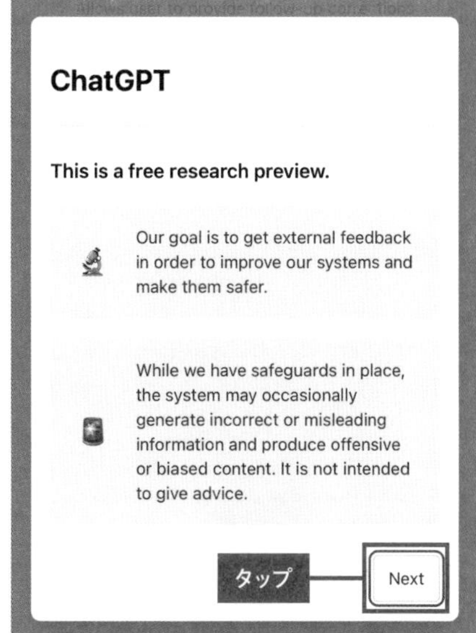


注意事項などが英語で表示される。「Next」を何度かタップして次の画面に進む

## 16 操作画面が表示された

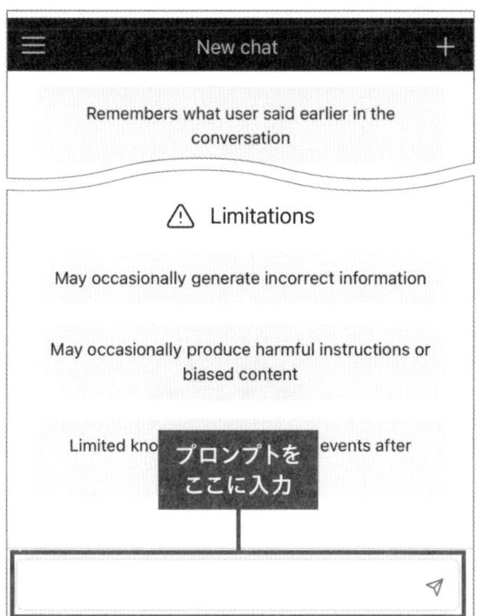


「New chat」画面が表示された。この画面の最下部に入力欄があるので、そこにプロンプトを入力するとよい

# スマホでChatGPTを使ってみよう

## 1 プロンプトの入力欄を開く

画面下部の入力欄をタップする

## 2 プロンプトを入力する

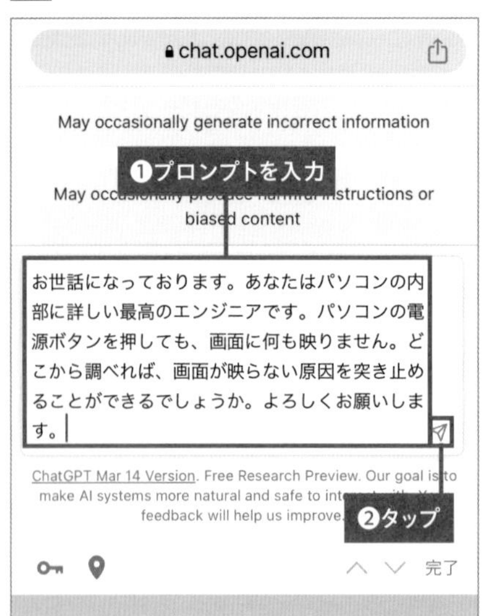


プロンプトを入力して、右下の紙飛行機アイコンをタップ

## 3 回答が得られた

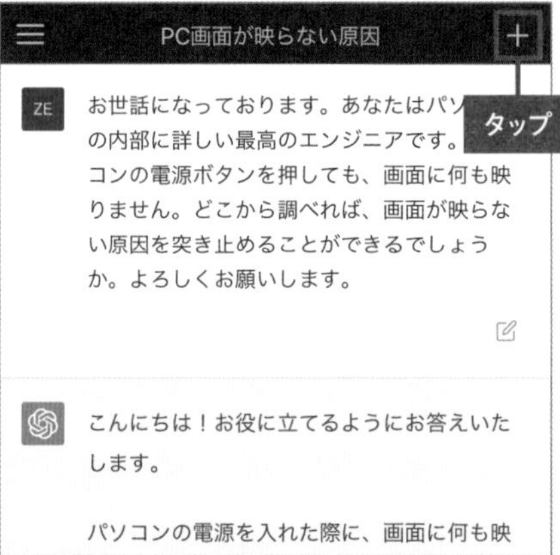


回答が表示された。画面下の入力欄に続けてプロンプトを入力することもできるし、右上の「＋」アイコンをタップして新しいやりとりを始めることも可能だ

## 4 新しい画面が表示された

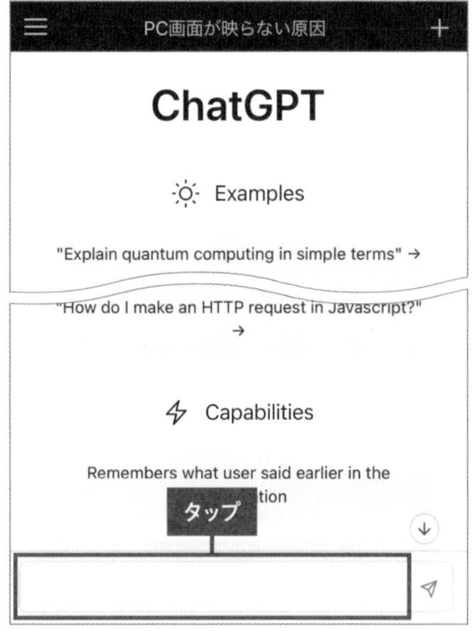


手順3で「＋」アイコンをタップすると、ログイン直後の画面が再び表示される。画面下の入力欄をタップすると、新しくプロンプトを入力できる

## そのほかの機能を利用する

### 1 メニューを表示する

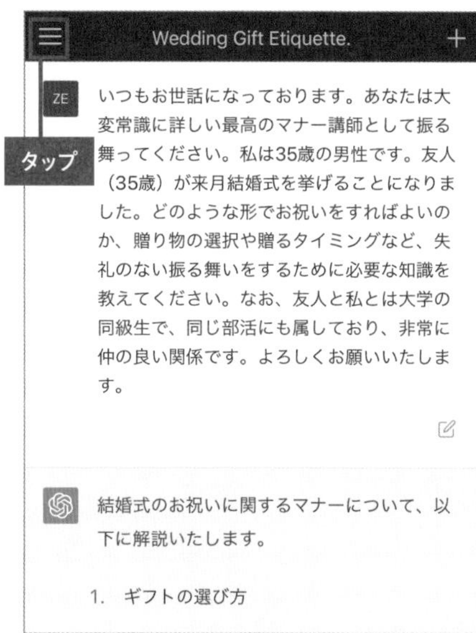


メニューを表示するには、画面左上の「≡」をタップする

### 2 履歴を選択する

これまでの履歴のタイトルが表示される。タップすると、履歴の全文が表示される。右の鉛筆アイコンをタップすると、履歴のタイトルを変更できる。さらに右のゴミ箱アイコンをタップすると、その履歴のみ削除可能だ

### 3 履歴のタイトルを変更する

手順2で鉛筆アイコンをタップすると、履歴のタイトルを入力できる。入力し終わったら、チェックアイコンをタップすると確定する。右上の「×」アイコンをタップすると、メニューが閉じる

### 4 ほかの設定を変更する

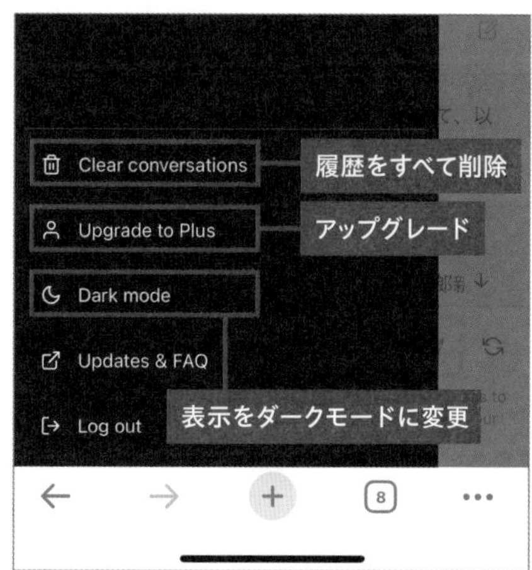


メニューで「Clear conversations」をタップすると履歴をすべて削除できる。「Upgrade to Plus」でChatGPT Plusにアップグレード可能だ。「Dark mode」をタップすると、画面がライトモードからダークモードに変わる

CHAPTER 2

# 04 LINEでChatGPTを利用する

## 「AIチャットくん」を友だちに追加する

ChatGPTを今すぐ試してみたいけれど、アカウントの登録などが面倒と感じるかもしれません。もしLINEを使っているのであれば、「AIチャットくん」というサービスを使うのがおすすめです。これは、LINE上でChatGPTを使えるサービスで、**「AIチャットくん」を友だち登録するだけで、ChatGPTとのやりとりができるようになります**。なお、無料プランではやりとりの回数に制限があります。

**AI チャットくん**

無料プラン：1日5回まで利用可能
プレミアムプラン：980円（月額）／9800円（年額）

### 1 「友だち追加」を表示する

LINEの「ホーム」タブを開き、友だち追加アイコンをタップする

### 2 カメラを起動する

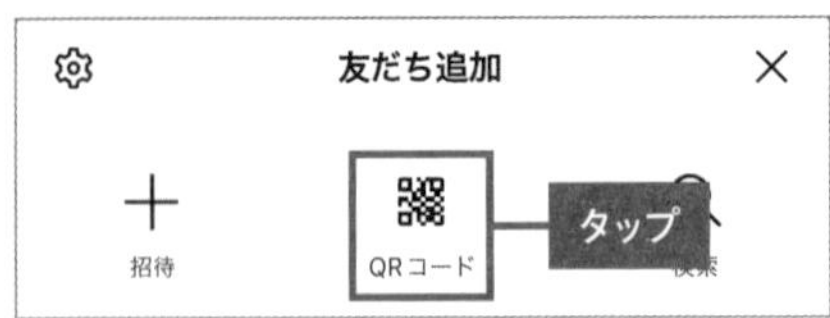


友だち追加画面が表示されるので、「QRコード」をタップする

### 3 QRコードを読み込む

このページ右上に掲載した「AIチャットくん」のQRコードを読み取り、表示されたリンクをタップする

### 4 友だちに追加する

AIチャットくんの友だち登録画面が表示されるので、「追加」をタップする。これでAIチャットくんが利用できるようになった

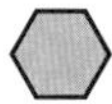

## AIチャットくんとチャットする

AIチャットくんをLINEの友だちに登録したら、さっそくチャットを使ってみましょう。使い方は普段のLINEのトークと同じように、画面下の文字入力欄に聞きたいことを入力するだけです。数秒後にはAIチャットくんから回答が届きます。なお、**無料で質問できるのは1日5回までで、それ以上使うにはプレミアムプラン（有料）への加入が必要になります**。

### 1 「AIチャットくん」を表示する

LINEの「トーク」タブを開き、「AIチャットくん」をタップする

### 2 トークを開始する

AIチャットくんのトーク画面が表示されるので、聞きたい質問を入力して紙飛行機アイコンをタップする

### 3 回答が表示される

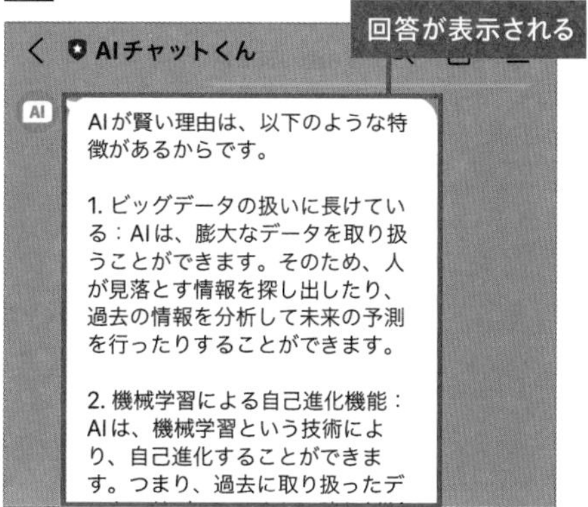


トークを送信後、数秒したらAIチャットくんからの回答が表示される

### 4 利用回数制限を超えた場合

無料で質問できる回数を超えると、プレミアムプランの案内が表示される。なお、月額プランは980円、年額プランは9800円となっている

COLUMN

# スマホアプリを使うべき？

ChatGPTの開発元であるOpenAI社は、2023年5月27日にiPhone用ChatGPTアプリの提供を開始しましたが、2023年6月現在、Android用アプリはまだ提供されていません。この章ですでに説明したように、ブラウザーアプリを使うことでAndroidでもChatGPTを十分利用できます。しかし、Android向けにChatGPTを利用できるとうたうアプリが多数リリースされています。これらのほとんどはOpenAI社と関係ないようです。
それだけでなく、アプリ内課金の制度を利用しており、試用するだけで有料のサブスクリプションへの登録を促してくるアプリがあります。さらには、サブスクリプションにかかる金額がかなり高額のものも存在します。アプリのほうが便利だと考えてしまいがちですが、ブラウザーで十分ChatGPTは利用可能です。サブスクリプションでお金を払い続けたくなければ、Androidユーザーはブラウザーを使うようにしましょう。

### アプリをインストールしてみた

ChatGPTを利用できるアプリをApp Storeで検索してインストールしてみた。起動後、最初にこの画面が表示される。左上の「×」アイコンをタップすれば、一応、無料で使うことは可能だ。しかし、多くの人は「無料で開始」をタップしてしまうだろう

### サブスク確認が表示される

サブスクリプションを開始してよいかをたずねられる。もし開始したいなら、スリープボタンをダブルクリックすればよいが、毎週850円というのはかなり高額だ。通常は「×」ボタンをタップして閉じ、P28で紹介した手順を実行するのがおすすめだ

CHAPTER 3

# ChatGPTで文章を編集してみよう

CHAPTER 3

# 01 文章の誤りを修正する

## 簡単な校正もChatGPTでできる

ChatGPTは、文章を作成するだけではなく、**文章の構成や表現、文法の誤りの確認など、文章の簡単な校正もできます**。文章を校正するには、「次の文章を校正してください」と指示したあとに、その文章を入力します。

次の文章を校正してください。

先日の打ち合わせで話した件について、プロジェクト計画の変更を提案してみたい。今週中に、皆で集まりて打ち合わせし、新しいアイデアを提案した方がいいかもね。

以下は、提供されたテキストの修正例です。

先日の打ち合わせで話した件について、プロジェクト計画の変更を提案したいと思います。今週中に、皆さんと一緒に集まって打ち合わせし、新しいアイデアを提案する方が良いと考えます。

COLUMN

### 質問の途中で改行するには

質問の途中で改行を入れたい場合、Enterキーを押してしまうとそのまま質問を送信してしまいます。この節のプロンプトのように、質問途中に改行を挿入したい場合は、Shiftキーを押しながらEnterキーを押します。

CHAPTER 3

# 02 修正した場所を確認する

## どこを直したのかもひと目で確認できる

ChatGPTの回答は常に正しいとは限らないため、修正時におかしな文章にしてしまっている可能性があります。そのため、**修正した文章をそのまま使うのではなく、どこが変更されたのかを必ず確認しておいたほうがいいでしょう**。この場合、目視で確認するのは面倒なので、**どこをどのように変更したのかを聞いてしまう**のが最も効率のよい方法です。

ここでは、前節の校正結果に引き続き、プロンプトを入力しています。

TJ

どこを修正したか教えてください。

修正した点は以下の通りです。

・「提案してみたい」という表現を、「提案したいと思います」に修正しました。
・「皆で集まりて」という表現を、「皆さんと一緒に集まって」と修正しました。
・「提案した方がいいかもね」という表現を、「提案する方が良いと考えます」と修正しました。

**COLUMN**

### 文章を書くポイントも確認できる

文章を修正してもらったあとに「今後、似たような文章を書くときに注意したほうがいいところを教えてください。」のように聞くと、同じような文章を書くときのポイントを教えてもらえます。

### 修正と同時に変更点を聞くこともできる

校正を依頼する際に、修正前と修正後の違いについて説明してもらうようにリクエストを追加しておけば、校正された文章と修正箇所がフィードバックされます。文章作成の際に気をつけるべきポイントが把握しやすくなるので、より効果的な文章作りが可能になります。

次の文章を修正してください。また、修正前と修正後の文章の違いを解説してください。

先日の打ち合わせで話した件について、プロジェクト計画の変更を提案してみたい。今週中に、皆で集まりて打ち合わせし、新しいアイデアを提案した方がいいかもね。

修正後の文章：

先日の打ち合わせで話した件について、プロジェクト計画の変更を提案したいと思います。今週中に皆さんで集まり、新しいアイデアを出し合うことを提案します。よろしくお願いします。

修正内容の解説：

1. 「みたい」を「思います」に変更しました。
   - 「みたい」は口語的な表現で、正式な文章では使われません。代わりに「思います」を使いました。
2. 「し」を「します」に変更しました。
   - 「し」は略語で、正式な文章では使われません。代わりに「します」を使いました。
3. 「提案した方がいいかもね」を「提案します。よろしくお願いします。」に変更しました。
   - 「提案した方がいいかもね」は口語的な表現で、正式な文章では使われません。代わりに、「提案します。よろしくお願いします。」という丁寧な表現に変更しました。

もし、**修正内容が自分の意図と異なる場合は、改善したいことや重要視するポイントを明確にしてから再度指示します**。たとえば、文法の誤りを確認したいなら「次の文章の文法をチェックしてください。とくに助詞の誤用や主語・述語の一致などをチェックしてください。」などと指示します。

CHAPTER 3

# 03 文章を要約する

## 長文を読みやすい長さに縮める

目を通さなければならない文章が長すぎる場合は、**ChatGPTにざっと要約してもらってから読めば、短時間で文章の概要がわかります**。常に正確だとは限りませんが、ざっくり内容を把握したいときにおすすめです。

TJ

次の文章を要約してください。

アウトルックは、Windows用の代表的なメールクライアントとして、古くからビジネスユーザーを中心に利用され、現在でも多くの企業で採用されています。メールだけでなく、予定表やタスク、メモなどの機能も備えており、業務に関する情報を総合的に管理する役割を果たしてくれます。
しかし、アウトルックは非常に多機能ではあるものの、必ずしも「優秀なアプリ」ではありません。まず、多機能さゆえの弱点として、どこにどんな機能があるのか見通しが悪く、それが使いづらさの一因になっています。また、メールを効率よく処理できるという点では「Gmail」のほうがすぐれた面が多く、動作の軽さでは「Thunderbird」などのアプリのほうが有利です。スケジュール管理に関しても、「Googleカレンダー」のようなサービスを利用したほうが効率的だと考える人が増えています。
さらに最近では、「そもそも仕事の連絡にメールを使うのは非効率」という考え方を背景に、ビジネスチャットと呼ばれるサービスを利用する企業も増えつつあります。円滑なコミュニケーションに基づくスピーディーな意思決定が求められる現代、「メールは時代遅れ」となる日も近いかもしれません。
では、どうするべきか。「使いにくい」「不便」などと文句を並べていても始まりません。アウトルックの使いづらさを解消し、少しでも効率よく操作できるように、さまざまなテクニックを身につけましょう。そして、アプリの操作を高速化する方法だけでなく、メールの文章を短時間で書く方法や、自分も相手も時間を無駄にせずに済むメールの作法、重要な予定を忘れないための管理術など、ビジネスの現場ですぐに役立つ技を習得するのが重要です。

アウトルックはビジネスユーザーによく使われており、メール以外にも予定表やタスク、メモなどの機能があるが、使いづらさや非効率性の問題がある。近年では、ビジネスチャットを使う企業が増え、メールが時代遅れとなる可能性がある。アウトルックを効率的に使うために、様々なテクニックを身につける必要がある。また、メールの書き方や重要な予定の管理方法など、ビジネスの現場ですぐに役立つ技も習得する必要がある。

文字数の指定はほぼ不可能ですが、「もっと長く」「もっと短く」と指示することは可能です。

もっと短く要約してください。

アウトルックはビジネスユーザーに人気があるが、使いづらさや非効率性がある。ビジネスチャットの普及により、メールが時代遅れになる可能性がある。アウトルックを効率的に使うためには、テクニックを身につける必要がある。

COLUMN

### もっと見やすく要約したいならMarkdown形式を使う

Markdownとは、HTMLなどと同様、文章を記述するためのマークアップ言語の1つです。見出しやリスト、強調などを簡単に記述できるのが特徴です。ChatGPTでMarkdown形式を使うように指示すると、見出しやリストを積極的に使った回答が得られます。文章の内容によってはなかなか見出しやリストを使わないことがありますが、そのときは「必ずMarkdownで記述してください。」などとプロンプトに加えるとMarkdownを使った回答を返してきやすくなります。

CHAPTER 3

# 04 文章の意味を変えずにボリュームだけ増やす

## 自然な形で指定した文字数に近づけてくれる

指定された文字数の文章を書かねばならないとき、文字数が多いとなかなか埋まらないこともあるでしょう。そんなときは、**ChatGPTに骨格の部分を入力して、だいたいの文字数を指定すれば、自然な文章ができあがります**。ただし、指定した文字数にちょうど揃えることは難しく、かなりの誤差が出ることがあります。

TJ

以下の文章を、意味を変えずに500字に膨らませてください。

ついに桜が満開を迎え、上野公園は多くの人で賑わっている。新型コロナの影響で花見を控えていた人も一斉に繰り出したのだろう。

日本の春と言えば桜が咲き誇り、その美しさは国内外から多くの人々に愛されています。そしてついに、待ちに待った春が到来し、上野公園では桜が満開を迎え、多くの人々が賑わっています。この季節になると、上野公園には、多くの人々が集まり、お弁当を広げたり、花見を楽しんだりしています。しかし、去年は新型コロナの影響で、花見を控える人々が多かったようです。

しかし、今年は違います。多くの人々が繰り出し、上野公園には多くの人々が集まっています。桜の美しさに魅了された人々は、カメラを持って撮影をしたり、友人や家族と一緒にお弁当を広げたりしています。新型コロナの影響で自粛生活が続いたため、桜の開花を楽しみにしていた人々も多かったことでしょう。(中略)

今回のような大勢の人々が集まるイベントでは、感染拡大のリスクが高くなります。しかし、人々は感染対策をしっかりと行いながら、思い出に残る花見を楽しむことができました。春の到来とともに、人々の心も明るくなり、少しずつでも前向きになれることを願っています。

CHAPTER 3

# 05 箇条書きを文章にする

## 要点のリストを通常の文章に修正する

文章を書きたい場合、**盛り込むポイントを箇条書きにしてから、ChatGPTに読みやすい文章の形に整形してもらうといいでしょう**。多少の修正は必要になるかもしれませんが、大幅に作業時間を短縮できます。なお、箇条書きの文言は、思い切って短めにしたほうが文章が膨らむ場合があります。

以下の箇条書きを文章に書き直してください。

・Excelは表計算ソフト
・ただし計算だけではない
・表形式にデータを整理できる
・穴埋め式書類も作成可能
・ただし、複雑なものは作るべきでない

Excelは表計算ソフトであり、計算に加えて、データを表形式で整理することもできます。また、穴埋め式の書類も作成することができますが、複雑なものを作成する場合には適していません。

COLUMN

### 「しかし」などの接続詞は入れなくてもよい

ここでは箇条書きの先頭に「ただし」という逆接の接続詞を入れて、論理関係を明示していますが、入っていなくてもある程度はChatGPTが判断して文章を作成してくれます。その場合は、作成された文章を読み直して論理関係が間違っていないかを確認する必要があります。

レジュメなどの参考資料に掲載するための「読む文章」ではなく、講演のように「話すための原稿」が必要な場合には、その目的をChatGPTに伝えて修正してもらいましょう。

TJ 大学生に語りかけるような文章にしてください。

AI Excelというのは、パソコンで使うことができる表計算ソフトなんだよ。でも、Excelは計算だけじゃなくて、データを見やすい表の形に整理することもできるんだ。また、穴埋め式の書類を作ることもできるんだけど、複雑なものを作るのはちょっと難しいかもしれないね。大学生の皆さんも、Excelを使って課題をまとめたり、データを整理したりするときに役立つかもしれないから、ぜひ使ってみてね！

反対に、**文章から簡潔なリストを作りたい場合には、箇条書きを用いるようにChatGPTに指示します**。

TJ これを箇条書きを用いて書き直してください。

AI
・Excelはパソコンで使える表計算ソフト。
・計算機能に加えて、データを見やすい表の形に整理できる。
・穴埋め式の書類を作成することもできるが、複雑なものには向いていない。
・大学生の皆さんもExcelを使って課題のまとめやデータの整理に役立てることができる。

まだ箇条書きが冗長だと思える場合には、語尾や長さについて「体言止めを多用して、もっと短くしてください。」などというプロンプトで修正します。このとき、完全に最初の箇条書きに戻っていくのではなく、趣旨は同じままで、いくらか読みやすいものが出力される傾向にあります。

CHAPTER 3

# 06 テープ起こしした文章を整える

## 句読点や改行を挿入して読みやすい文章にする

取材や打ち合わせ、会議や講演会などの内容を書類として残したい場合、音声をそのまま文字に起こしただけでは不十分です。これを手動でやると、かなりの手間と時間がかかりますが、**ChatGPTなら一瞬で句読点の挿入や段落の区切り、順序の変更や表現の修正が可能です**。

以下の文章に句読点や改行を追加して、読みやすく整えてください。

いよいよ新NISAが始まるわけですが今までのNISAと新NISAの違いを説明する前に過去にあった小額貯蓄非課税制度いわゆるマル優について説明しておきたいと思いますこれは1987年まで銀行の預金や郵便局の貯金の利子にかかる税金を非課税とする制度でした限度額はありましたがこれにより国民の預貯金に関する情熱が高まりましたNISAは同様の効果を狙って設立されたと思われますが今度は預貯金ではなく投資の方に家庭の資金を向わせることが目的です

いよいよ新NISAが始まるわけですが、今までのNISAと新NISAの違いを説明する前に、過去にあった小額貯蓄非課税制度である、いわゆる「マル優」について説明しておきたいと思います。

これは1987年まで、銀行の預金や郵便局の貯金の利子にかかる税金を非課税とする制度でした。限度額はありましたが、これにより国民の預貯金に関する情熱が高まりました。

NISAは、同様の効果を狙って設立されたと思われますが、今度は預貯金ではなく投資の方に、家庭の資金を向かせることが目的です。

話し言葉で作成した文章を正式な文書に残したいときなど、書籍のように堅い文章が好ましい場合は、文体を変えるように指示してみましょう。

TJ 書籍のように堅い文章にしてください。

新しいNISAが始まる。しかし、その違いについて説明する前に、小額貯蓄非課税制度「マル優」について言及しておく。この制度は1987年まで、銀行預金や郵便貯金の利子にかかる税金を非課税とすることを意味した。制限があるものの、これにより国民の貯蓄意欲が高まった。NISAは同様の目的で設立されたが、今回は家庭の資金を投資に向けることが目的となっている。

COLUMN

## 音声入力とChatGPTを使えば、長文執筆も快速・高速に

パソコンやスマホなどで文章を入力するにはキーボードを利用するのが一般的です。物理的なキーボードはもちろん、画面上に表示されるソフトウェアキーボードでも、指先で文字を入力しながら漢字かなまじり文に変換していくのは同じです。
一方、マイクに向かって話しかける方式の「音声入力」も、最近は精度が向上してきたため、十分に実用的なレベルに達してきています。同音異義語の変換なども、文脈から正しく判断されて、正確な入力が可能になってきました。この音声入力を使えば、キーボードで高速に入力することが苦手な人でも、スムーズに文章を作成することができます。
ただ、音声入力にも少し欠点があって、うまく句読点や改行（段落）が自動挿入されません。このため、べったりした文字の行列になってしまい、そのままでは非常に読みにくいのです。もちろん、途中で「てん」「まる」「かいぎょう」のように音声の指示を出したり、あとからキーボードを使って整形することも可能ですが、作業としては少々面倒です。
そこで、音声入力にChatGPTを組み合わせれば、句読点や段落を的確に挿入してくれる上、構成や表現も修正してくれるので、面倒な整形作業が一瞬で完了します。やり方は前述のテープ起こしの文章のときと同様で、「以下の文章に句読点や改行を追加して、読みやすく整えてください。」という指示の下に音声入力したままのテキストを貼り付けて命令すればOKです。

# 07 「だ・である」を「です・ます」に修正する

## 常体の文章から敬体の文章に書き直す

文末の「だ・である」（常体）を「です・ます」（敬体）に書き換える文体の変更は、かなり面倒な作業です。見落としなく書き換えるには、ChatGPTを利用するのが簡単かつ確実です。

次の文章の文末を敬体に修正してください。

旧来の日本型終身雇用制が良いというわけではないのだが、昨今の「即戦力」ばかり求める風潮はいかがなものだろうか。ある業務での経験があれば、同業他社への転職なら多少は力を発揮できるまでの期間は短くできるだろう。だが、現時点での「即戦力」は、どこかの組織が最初に育てたものであるハズだ。それは多分、大学や専門学校などではなく、おそらく、その人が新卒で入った企業などであることが多いだろう。

旧来の日本型終身雇用制が良いというわけではないのですが、昨今の「即戦力」ばかり求める風潮はいかがなものでしょうか。ある業務での経験があれば、同業他社への転職なら多少は力を発揮できるまでの期間は短くできるでしょう。しかし、現時点での「即戦力」は、どこかの組織が最初に育てたものであるハズです。それは多分、大学や専門学校などではなく、おそらく、その人が新卒で入った企業などであることが多いでしょう。

なお、ChatGPTでは、敬体から常体への修正はうまくできません。Bingチャット検索（CHAPTER7参照）でも、途中で処理が停止することがあるなど、正しい出力は得られません。

CHAPTER 3

# 08 文章の語調を変換する

## 指定した立場や役職に見合った語調にする

ビジネスシーンで作成する文章は、TPOに応じて語調を合わせるのが基本ですが、ビジネス文書の書き方に慣れていないという人もいるでしょう。そんなときは、**「研究者」や「ビジネスマン」のように、プロンプトに立場や役職を含めて指示すると、それに見合った語調や言い回しに変換してくれます**。

TJ

以下の文章を研究者が書くような日本語にしてください。

顧客管理が難しいのは、「お客様は神様です」が必ずしも通じないことにある。お客様ごとにクセがあり、それにきちんと対応した営業スタイルを心がけないと、とてもじゃないがやっていけない。提供するサービス自体はあくまでも一律が基本だが、アプローチやサポートの方法に関しては、お客様ごとにしっかり考えなくてはいけない。日々の仕事の中でそれを何度も痛感する。

顧客管理が困難な理由は、「お客様は神様」という考え方が必ずしもうまく機能しないことにある。顧客にはそれぞれ個性があり、それを理解した営業スタイルを採用しなければ、ビジネスを成功させることはできない。提供するサービス自体は一定の基準があるが、アプローチやサポートの方法については、各顧客に合わせて考慮しなければならない。日々の業務の中で、このことを何度も痛感している。

なお、プロンプトで指示する役職が同じでも、回答で表示される言い回しには、そのつど大きな違いが出てきます。何度か繰り返しても語調がしっくりこないときは、「堅物のベテラン研究者」のように、性格や立場などの細かい条件まで指示すると、よりイメージに近い語調になるようです。

CHAPTER 3

# 09 ど忘れした言葉を思い出す

## 文章の内容から諺や別の表現をすぐに知ることができる

文章などを作成しているときに、「言いたいことにピッタリな表現が思いつかない」ということは割とよくあります。そのようなときは、ChatGPTに使いたい言葉の意味合いを伝えてみましょう。**伝えた内容に関連する諺や表現を教えてくれます**。併せてそれらの意味や用法もわかるので、本当にその場面でふさわしいものか確認することが可能です。

TJ

「2つを同時に手に入れようとすると、両方とも手に入らない」といった意味の諺を教えてください。

AI

「二兎を追う者は一兎をも得ず」という諺が、意図する意味に近いと思われます。この諺は、同時に2つのことを追い求めようとすると、どちらもうまくいかず、結局はどちらも手に入らなくなることを表現しています。つまり、優先順位をつけて1つずつ取り組むことが大切であるということを示しています。

TJ

諺以外の類義語をいくつか挙げてください。

AI

「二兎を得ようとして、両方失う」という表現や、「手を広げすぎて、何もつかめない」という表現も、「二兎を追う者は一兎をも得ず」と同様の意味を持っています。また、「多すぎる望みは、必ず失望を招く」という表現も、同様の意味合いを持っています。つまり、一つの目標を達成するためには、欲張らずに優先順位をつけ、焦らず着実に取り組むことが大切であるということを示しています。

CHAPTER 4

# ChatGPTで文書を作成してみよう

CHAPTER 4

# 01 メールの下書きを作ってもらう

## 要点だけ伝えて短時間で文章に仕立てさせる

**メールに盛り込みたい情報や注意事項などを箇条書きにしてChatGPTに指示すれば、メールに使えそうな文章を記述してくれます**。ただし、微妙に不自然だったり、誤りが含まれていたりするので、送信前に必ず確認する必要があります。

以下の内容のメールの下書きを作成してください。

・自分：日本商事の鈴木
・相手：米国通商の藤原課長
・用件：先日いただいた企画案の検討結果
・日時：再来週水曜日午前11時から
・場所：弊社第１会議室

件名：再来週水曜日の打ち合わせについて

藤原課長様
いつもお世話になっております。日本商事の鈴木です。
先日お送りいただきました企画案について、弊社で検討を行いました。
その結果をお伝えするため、再来週水曜日（〇〇月〇日）に弊社第１会議室にて、午前11時から打ち合わせを行いたく存じます。
ご多忙中とは存じますが、ぜひご出席賜りますようお願い申し上げます。
何かご質問等ございましたら、お気軽にお問い合わせください。
よろしくお願いいたします。

敬具
日本商事 鈴木

CHAPTER 4

# 02 アンケートの項目を考える

## 対象範囲や条件に見合ったアンケートを簡単に作成

**仕事の業務などでアンケートを作成する際、ChatGPTに叩き台を作らせる**と、そのあとの作業がスムーズに進むことがあります。アンケートの対象範囲や条件をざっくり指定するだけで、状況に応じた質問項目を簡単に作成できます。

TJ

30歳から60歳までの女性を対象に、美容の悩みをテーマにアンケート項目を10個作成してください。

1.あなたの肌の悩みは何ですか？
2.あなたが普段使っているスキンケア製品は何ですか？
3.スキンケア製品を選ぶ際に重視するポイントは何ですか？
4.睡眠不足やストレスなどの影響で、肌の調子が悪くなったことはありますか？
5.美容クリニックやエステサロンに行ったことがありますか？どのような施術を受けましたか？
6.メイクの悩みは何ですか？
7.ヘアケアの悩みは何ですか？
8.健康的な食生活について、気をつけていることはありますか？
9.ダイエットについて、何か取り組んでいますか？取り組んでいる場合、どのような方法を試していますか？
10.美容についての悩みを解消するために、今後やりたいことはありますか？

アンケート項目の回答として選択肢を採用することもできます。プロンプトとして「各アンケート項目の回答として４つの選択肢を追加してください。」などと入力します。

CHAPTER 4

# 03 商品や飲食店のサンプルレビューを作る

## 特徴をふまえたリアルな口コミを作成

ChatGPTを使えば、**架空のユーザーレビューも手軽に作成できます**。プロンプトに商品や飲食店の特徴を箇条書きで含めるだけで、実際に利用したかのようなリアルなレビューを出力してくれます。ただし、あくまでも架空の内容ですので、利用は社内向け資料などにとどめ、サンプルレビューである旨を明記しておくべきでしょう。

以下の特徴を持つ化粧水を使ったユーザーの感想を5例作成してください。
・紫外線やホコリをガード
・潤いのあるしっとりとした肌になる
・美容成分が角層のすみずみまで浸透

1.「この化粧水を使ってから、肌がしっとりとしていて、乾燥しなくなった。外出先でも紫外線やホコリを気にせずに過ごせるので、日焼けも防げて安心して使える。」
2.「化粧水の使用感がとても良く、浸透力も高いため、肌にうるおいがたっぷりと補給されているように感じる。肌荒れも改善されたので、今後も使い続けたい。」
3.「この化粧水を使うようになってから、化粧ノリが良くなったし、肌も明るくなってきたように感じる。紫外線対策もできるので、一年中使い続けたいと思う。」
4.「乾燥肌で悩んでいたけど、この化粧水を使ってからは、肌の水分量が増えた気がする。美容成分がしっかりと浸透するので、肌も健やかになっていると感じる。」
5.「化粧水をつけると、肌がもちもちとして、保湿力も高いので、一日中乾燥せずに過ごせる。紫外線やホコリにもしっかりと対策できるので、肌の状態がとても良くなった。」

CHAPTER 4

# 04 集客用のキャッチコピーを作成する

## センスあふれるコピーをサクッと作れる

ChatGPTで**キャッチコピーを作るには、イベント名や特徴を列挙して指示すればOKです**。このような使い方の場合、「一流のコピーライター」のように、ChatGPTに専門家としての属性を与えてやるのがポイントです。

あなたは一流のコピーライターです。以下の特徴を持つイベントに集客するための20字程度のキャッチコピーを8個作成してください。

・イベント名は「ラーメン祭2023」
・全国から厳選した20の有名ラーメン店が集結
・今回だけの限定メニューが多数
・人気ラーメン評論家によるトークイベントも
・入場料は2000円

1.絶品ラーメン20店が大集結！ラーメン祭2023開催中！
2.今だけの限定メニューが盛りだくさん！ラーメン祭2023開催！
3.ラーメンファン必見！有名ラーメン店20店が一堂に集結！
4.ラーメン好き集合！ 20店の名店が集結するラーメン祭2023 ！
5.今話題のラーメン祭2023 ！人気評論家のトークイベントも開催！
6.ラーメン祭2023 ！日本全国から集めた20店が大集合！
7.絶品ラーメン祭2023開催！今回だけの限定メニューが目白押し！
8.ラーメン好き必見！全国有名店20店が勢揃い！ラーメン祭2023 ！

なお、たとえば「あなたはお笑い芸人です」など属性を追加すると、キャッチコピーにも「ラーメンも笑いもお腹いっぱい！ラーメン祭2023」のような属性に関連した要素が盛り込まれる場合があります。

CHAPTER 4

# 05 クリエイターの契約書を作る

## 契約条件を反映した簡易的な契約書を作成

ChatGPTは、**契約書の下書きを作ることもできます**。ここでは、作家などクリエイター向けの契約書を作ってみます。このまま使うのではなく、必要な部分を各種テンプレートと差し替えて使うといいでしょう。

あなたは著作権に詳しい弁護士です。私は小説家なのですが、出版社と結ぶ出版契約書を以下の条件を満たす内容で作成してください。

・作品の印税率は10%
・作品の電子書籍化は許可しない
・映画化やアニメ化などの際は、事前に必ず私の許可が必要
・契約期間は３年とする
・両者が同意する場合は自動更新

以下は、あなたが求める条件を反映した出版契約書の例です。ただし、国や地域によって法律や慣習が異なるため、必ずしもこの例が適用できるとは限りません。出版契約書を作成する場合は、法律事務所などの専門家に相談することをお勧めします。

出版契約書

この出版契約書（以下「本契約」という。）は、〇〇（以下「著者」という。）と〇〇（以下「出版社」という。）との間で締結されるものである。

第1条　出版物

1.1 著者は、本契約に基づき出版される〇〇（以下「作品」という。）の著作者である。

1.2 出版社は、著者の許可を得ることなく、作品を電子書籍化することはできない。

1.3 出版社は、作品を映画化、アニメ化、ドラマ化などの方法で利用する場合は、必ず事前に著者の許可を得なければならない。

第2条　印税

2.1 出版社は、作品の印税として、売上金額（税抜き）の10%を著者に支払うものとする。

2.2 支払われる印税は、作品の印税率に基づき計算された金額から、消費税、源泉徴収税、所得税などの税金、手数料、出版社が支払う著作権使用料、翻訳費用などを差し引いた額とする。

2.3 支払われる印税は、原則として、契約期間中の毎月末日に支払われる。

第3条　契約期間と更新

3.1 本契約の契約期間は、○○から○○までの3年間とする。

3.2 本契約の契約期間満了後、両者が同意する場合は、自動更新されるものとする。

第4条　その他の規定

4.1 本契約に定めのない事項や疑義・紛争が生じた場合は、著者と出版社が協議のうえ、誠意をもって解決するものとする。

4.2 本契約は、著者および出版社にとって有利な解釈を与えるような法的効力を持つ文書であることを確認する。

4.3 本契約は、著者および出版社による事前の書面による合意なしに、第三者に譲渡することはできない。

4.4 本契約は、日本国法に従って解釈されるものとする。

以上

CHAPTER 4

# 06 ビジネス書類のテンプレートを作成する

## テンプレートはコピーして活用できる

ChatGPTでは、**貸借対照表、請求書といった一般的なビジネス書類のテンプレートも作成できます**。表形式で出力できるので、そのままコピーしてExcelに貼り付ければ、書類の作成がスピーディーに行えます。

貸借対照表の一般的なテンプレートを表形式で作成してください。

以下は一般的な貸借対照表のテンプレートです。

| 資産 | 金額 | 負債 | 金額 |
|---|---|---|---|
| 流動資産 | | 流動負債 | |
| 現金 | | 仕入債務 | |
| 売掛金 | | 未払費用 | |
| その他 | | その他 | |
| 固定資産 | | 固定負債 | |
| 土地建物 | | 社債 | |
| 有形固定資産 | | | |
| 無形固定資産 | | その他 | |
| 繰延資産 | | 繰延負債 | |
| 先払費用 | | 退職給付引当金 | |
| その他 | | その他 | |

このテンプレートは、貸借対照表を一般的な方法で分類しています。資産は流動資産、固定資産、繰延資産の3つに分けられ、それぞれさらに細分化されています。同様に、負債も流動負債、固定負債、繰延負債の3つに分けられ、それぞれさらに細分化されています。このテンプレートは一般的なものであり、企業によっては、貸借対照表の項目の分類方法が異なる場合があります。

CHAPTER 4

# 07 旅行プランを提案してもらう

## 行き先と移動手段を伝えれば旅行プランが作れる

旅行に行くと決まったあとに悩んでしまうのが「プランの作成」です。とくに、旅行先の情報が不足していたりすると、計画を立てるのが難しいかもしれません。このようなときは、**ChatGPTに旅行先などの情報を伝えて、旅行プランを提案してもらう**のがいいでしょう。この場合、プロンプトには「具体的な行き先」「訪れたい観光地名」「移動手段」「日数」などを入力します。そうすると、より具体的なプランを立ててくれます。

TJ

東京から長野県小諸市までクルマで旅行したいです。千曲ビューラインを通って布引観音を観光することを中心にして、1泊2日の旅行プランを考えてください。

AI

はい、旅行プランの提案をいたします。

【1日目】
朝8時頃、東京を出発します。
中央自動車道を通り、途中で休憩を挟みつつ、千曲ビューラインを目指します。
千曲ビューラインをドライブしながら、景色を楽しみます。
午前中には、布引観音に到着する予定です。布引観音は、国宝に指定されているお寺で、美しい庭園や本堂、五重塔などがあります。また、紅葉の季節には特に美しい場所としても有名です。
布引観音でゆっくりと時間を過ごした後、近くの温泉街「信州小諸温泉」に移動します。昼食をとったり、温泉でくつろいだりして、午後を過ごします。
夕方には、小諸市内のホテルにチェックインします。夕食は、地元の美味しい食材を使った料理が楽しめるレストランでいただくことをおすすめします。

【2日目】
朝食後、小諸市内を散策します。小諸市には、歴史的な建物や美術館などがあります。
午前中には、小諸市内を満喫した後、再び中央自動車道に乗って、東京に帰ります。昼食は、途中で食べることをおすすめします。東京に到着するのは、夕方頃を予定しています。

以上が、1泊2日の東京から小諸市への旅行プランです。布引観音を中心に、千曲ビューラインや信州小諸温泉など、長野県ならではの魅力をたっぷりと味わえるプランとなっています。

旅行プランを簡潔にしたいときは、次のプロンプトに「次の旅行プランを箇条書きにしてください。」などと入力するといいでしょう。

次の旅行プランを箇条書きにしてください。

おおまかなスケジュールを箇条書きにまとめると以下のようになります。

【1日目】
・朝8時頃、東京を出発。
・中央自動車道を通り、千曲ビューラインを目指す。
・布引観音に到着し、約半日を過ごす。
・近くの信州小諸温泉に移動し、昼食や温泉を楽しむ。
・小諸市内のホテルにチェックインし、夕食を楽しむ。

【2日目】
・朝食後、小諸市内を散策する。
・午前中に小諸市内を満喫し、再び中央自動車道に乗る。
・途中で昼食を取りながら、東京に帰る。
・夕方頃、東京に到着する。

以上が、東京から小諸市への1泊2日の旅行プランの大まかなスケジュールです。お楽しみください！

CHAPTER 4

# 08 文章にリスクがないか確認する

## 発信する情報は事前にチェックして炎上を防ぐ

情報を発信する際、文化や人種、性別や年齢などに対して配慮を欠いた表現を盛り込んでしまうと、社会的な批判や法的な問題を引き起こすことがあります。そこで、ChatGPTを利用して**リスクのある表現を確認・修正するようにしましょう**。どのような点を具体的にチェックするかを指示すれば、その指示にしたがって文章を確認し、適切な表現に直してくれます。

TJ

次の文章に差別的、侮辱的、不適切な表現が含まれていないか確認し、適切な表現に修正してください。

健康的なダイエットを目指す若い女性に朗報です！今回新しく開発されたダイエットプログラムは、白人モデルのようなスタイルを手に入れるために開発されたもので、多忙な現代に合わせた個別プランをご用意。より効果的なダイエットが可能になっています。
適度な運動やストレッチなども取り入れているので、食事制限が苦手なあなたでも2週間で10kgは確実に痩せられます。また、専門家によるカウンセリングやサポートも受けられるので、自分自身のペースでダイエットを進められます。
健康的に痩せられるこのダイエットプログラムは、醜く太った多くの女性に支持されています。ぜひ、あなたもこの機会に体験してみてはいかがでしょうか。

以下は修正した文章です：

健康的なダイエットを目指す女性に朗報です！今回新しく開発されたダイエットプログラムは、様々な体型の方が健康的な体重を目指せるように開発されたもので、多忙な現代に合わせた個別プランをご用意しています。より効果的なダイエットが可能になっています。
適度な運動やストレッチなども取り入れているので、食事制限が苦手な方でも2週間で健康的に痩せられます。また、専門家によるカウンセリングやサポートも受けられるので、自分自身のペースでダイエットを進めることができます。健康的に痩せることができるこのダイエットプログラムは、多くの女性に支持されています。ぜひ、あなたもこの機会に体験してみてはいかがでしょうか。

ChatGPTは、単に文章を修正するだけでなく、どこを修正したのか、どのような問題があったのかも指摘してくれます。

どこが不適切だったか、その箇所と理由、言い換えた内容を箇条書きにしてください。

以下は不適切だった箇所とその理由、修正した内容です：

「白人モデルのようなスタイルを手に入れるために開発されたもの」という表現：この表現は人種差別的であり、ダイエットを目指す女性全員が白人モデルのようなスタイルを望んでいるわけではないため不適切である。
修正後の表現：「様々な体型の方が健康的な体重を目指せるように開発されたもの」
「醜く太った多くの女性」という表現：この表現は侮辱的であり、肥満を抱える人々を不当に攻撃しているため不適切である。
修正後の表現：「多くの女性に支持されています」
「食事制限が苦手なあなた」という表現：この表現は、食事制限に苦手意識を持っている人を攻撃しているように受け取られるため不適切である。
修正後の表現：「食事制限が難しい方でも」

**COLUMN**

### 最終的には自分自身で判断することが重要

ChatGPTでチェックできるのはあくまでも一般的な文章の表現などだけです。個人情報やプライバシーに関わる情報、著作権や商標など、すべてをChatGPTが確認できるわけではありません。また、情報の正確さも担保されているわけではないので、ファクトチェックも含め、最終的には自分自身で文章を確認して判断することが重要です。

CHAPTER 4
09

# 職場での自己紹介を方言で作成する

## 標準語を関西弁に変換する

関西弁とは無縁だが、**どうしても関西弁を使いたい場合はChatGPTに文章を変換させることができます**。ここでは、自己紹介文を関西弁に変換してみます。ほかの地域の方言にも対応していればいいのですが、現在のところ、かなり不正確になってしまうようです。

TJ

以下の文章を関西弁にしてください。

本日付で営業部に配属されました、鈴木太郎と申します。2016年入社で、以前はマーケティング部でウェブ企画を担当しておりました。

趣味はマラソンとサウナ、好きな食べ物はラーメンとお好み焼きです。こちらには、美味しいお店がたくさんあると聞いていますので、おすすめがあったら、ぜひご紹介いただけるとうれしいです。また、学生時代までは柔道をやっておりましたので、体力にはめっぽう自信があります。

ご指導ご鞭撻のほど、よろしくお願いいたします。

今日付で営業部に配属されたっちゅうて、ワイは鈴木太郎や。2016年に入社して、以前はマーケティング部でウェブ企画を担当しとったわ。

趣味はマラソンとサウナやねん。好きな食べ物はラーメンとお好み焼きや。ここではめっちゃ美味しいお店があるらしいから、オススメがあったら、ぜひ教えてくれると嬉しいわ。あと、学生時代まで柔道やってたから、体力にはめっちゃ自信あるで。

ご指導ご鞭撻のほど、よろしくお願いしますわ。

CHAPTER 4

# 10 従業員の不祥事に対する謝罪文を作成する

## 不祥事の内容を入力する

社内の不祥事が発覚した場合の**謝罪文は、業務や不祥事の内容を指示すれば、ChatGPTに書かせることができます**。ざっくりとした内容ですが、これをベースに微調整すれば、謝罪文として公開することも可能です。

TJ

我が社はネット通販事業を運営していますが、従業員が顧客の個人情報を不正に流出させて逮捕されてしまいました。メディア発表用の謝罪文を作成してください。

この度は、弊社の従業員による個人情報の不正流出につきまして、深くお詫び申し上げます。お客様に多大なるご迷惑とご心配をおかけし、誠に申し訳ございません。

弊社は、お客様の個人情報を厳重に管理することを約束しておりますが、今回の不祥事により、お客様の信頼を損なってしまいましたことを、重く受け止めております。このようなことが二度と起こらないよう、今後はさらに厳密な管理体制を整備し、従業員の教育を徹底することをお約束いたします。

今回の事件につきましては、当社としても深く反省しております。再発防止策を講じると共に、社員一人ひとりに個人情報の重要性を再認識し、より一層の意識改革に努めてまいります。

改めて、このような不祥事を引き起こしたことに対し、お詫び申し上げます。今後とも、お客様に信頼される企業を目指して、努力してまいります。

CHAPTER 4 11

# タスクの時間配分を考えてもらう

## 時間の使い方の目安として活用

プレゼンや会議の進行など、**全体の所要時間が決められている仕事を進める場合、ChatGPTで進行スケジュールを作成してみましょう**。所要時間や目的などを含めて指示すれば、ざっくりとした進行スケジュールのモデルを作成してくれます。あとは、内容に応じて調整すればいいでしょう。

TJ

あなたは食品メーカーの人事責任者です。新卒向けの会社説明会を1時間30分の所要時間で開催したいので、スケジュールを作成してください。

はい、承知しました。新卒向けの会社説明会を1時間30分で行うためのスケジュールは以下の通りです。

1.オープニング（10分）
参加者を歓迎し、自己紹介と会社の概要について簡単に説明します。
2.会社紹介（20分）
会社の歴史や事業内容、ビジョンなどについて詳しく説明します。
3.採用情報について（20分）
採用情報について詳しく説明し、募集職種や募集要項、選考プロセスなどについて説明します。
4.社員インタビュー（30分）
社員の方にインタビューし、会社での働き方や業務内容、魅力などについて話してもらいます。
5.質疑応答（10分）
参加者からの質問に答えます。
6.クロージング（10分）
参加者に感謝の気持ちを伝え、説明会の終了を告知します。（後略）

CHAPTER 4

# 12 タスクの手順を分解して整理する

## 複雑なタスクの手順を表でまとめる

はじめて担当する業務などで、何から手を付けていいのかわからない場合は、**ChatGPTでタスクの手順を表にまとめてみましょう**。それを叩き台として手順を考えていけば、仕事の流れを把握できるはずです。

出張報告書の作成に必要な手順を分解して表形式で表示してください。

以下は、出張報告書の作成に必要な手順を分解して表形式で表示した例です。

| 手順 | 説明 |
|---|---|
| 1 | 出張目的、期間、予算の決定 |
| 2 | 旅程の調整(交通手段、宿泊施設の手配) |
| 3 | 出張先でのスケジュールの作成 |
| 4 | 出張先での支出の管理方法の決定 |
| 5 | 出張先での報告書の作成方法の決定 |
| 6 | 出張前に必要な文書の作成(申請書、旅券、ビザなど) |
| 7 | 出張前に必要な準備物のリストアップ |
| 8 | 出張先での業務の進捗状況の報告 |
| 9 | 出張後の報告書の作成 |
| 10 | 出張で得た情報の整理・共有 |

これらの手順は、個人や企業によって異なる場合があります。また、表には含まれていない手順があるかもしれません。ただし、これらの手順を参考にして、出張報告書の作成に必要なプロセスを確認することができます。

各手順の業務内容について詳しくたずねることもできます。表示された回答に続いて、プロンプトに入力しましょう。手順だけでなく、詳細な内容までわかります。

TJ

1について詳しく教えてください。

出張報告書の作成に必要な手順の1つ目は、出張目的、期間、予算の決定です。この手順は、以下のようなサブプロセスから構成される場合があります。

1.1 出張目的の明確化
出張の目的を明確にすることは、出張の成功にとって重要です。出張の目的を決定するためには、出張の目的が何であるかを特定し、それが出張を行うために必要なものであることを確認する必要があります。たとえば、商談を行うために出張する場合、商談の成功のために必要な資料や支援を用意する必要があります。

1.2 出張期間の決定
出張期間は、出張目的やスケジュールに合わせて決定する必要があります。出張期間を決定するためには、出張先での予定や予算、交通手段、宿泊施設の状況などを考慮する必要があります。

1.3 出張予算の決定
出張予算は、出張目的や期間に合わせて決定する必要があります。出張予算を決定するためには、交通費、宿泊費、食事代、交際費など、出張で必要な全ての費用を見積もる必要があります。また、出張先での支出の管理方法も決定する必要があります。出張費用は、事前に定められた予算内で抑える必要があります。

以上のように、出張目的、期間、予算を決定することで、出張のスケジュールや支出管理方法を決定し、出張報告書の作成に必要な情報を収集することができます。

上の例のように各手順のサブプロセスの説明がやや長い場合は、「箇条書きにしてください」や「表にまとめてください」のように指示すれば、簡潔にまとめてくれます。

CHAPTER 4

# 13 英文から単語帳を作成する

## 日本語の意味を付けた単語の一覧表を作れる

ChatGPTは英語学習にも有効です。**英文から単語を抽出し、日本語の意味を付けた表を作成できます**。自分で単語をピックアップして意味を調べる手間を省略でき、効率的に学習できるのがメリットです。

以下の文章から単語を抜き出し、表形式で日本語の意味を付けてください。

As the sun set over the horizon, the sky was painted in a riot of colors. Shades of pink, orange, and purple blended together in a breathtaking display, casting a magical spell over everything in sight. For a moment, all was quiet and peaceful, and I felt grateful to be alive.

| 英単語 | 日本語意味 |
|---|---|
| sun | 太陽 |
| set | 沈む |
| horizon | 地平線 |
| sky | 空 |
| painted | 塗られた |
| riot | 騒動 |
| colors | 色 |
| shades | 色合い |
| pink | ピンク |
| orange | オレンジ |
| purple | 紫 |
| blended | 混ざった |

| 英単語 | 日本語意味 |
|---|---|
| together | 一緒に |
| breathtaking | 息をのむような |
| display | 展示 |
| casting | 投げる |
| magical | 魔法の |
| spell | 呪文 |
| everything | すべてのもの |
| sight | 視界 |
| quiet | 静かな |
| peaceful | 平和な |
| grateful | 感謝している |
| alive | 生きている |

# 14 英単語から例文を作成する

## 英単語の実際の用例を確認できる

英語学習では、英単語が実際にどのように使われるのかを学ぶのも重要です。ChatGPTでは、**使い方を知りたい英単語を指示するだけで簡単に例文を作成できます**。日本語訳も同時に表示してくれるので、スムーズに学習できます。

eligibleを使った例文を5個作成して、それぞれ日本語の意味を付けてください。

1. To be eligible for the scholarship, you must have a minimum GPA of 3.5.
(奨学金の対象になるには、最低GPAが3.5以上必要です。)

2. Only citizens who are eligible to vote can participate in the upcoming election.
(投票資格がある市民だけが、今後の選挙に参加できます。)

3. The job opening requires applicants to be eligible to work in the United States.
(その求人に応募するには、アメリカで働く資格が必要です。)

4. You are eligible for a refund if you return the product within 30 days of purchase.
(購入から30日以内に製品を返品すれば、返金の対象になります。)

5. She wasn't eligible for parole until she had served at least half of her sentence.
(彼女は、刑期の半分以上を服役するまで、仮釈放の資格がありませんでした。)

CHAPTER 4

# 15 外国語を日本語に翻訳する

## 英語を日本語に、日本語を英語に翻訳する

ChatGPTは**外国語の翻訳も実行できます**。何語に翻訳するかを明示して、訳してほしい文章を添えましょう。ここではまず、英語を日本語に訳しています。一部にこなれない部分が残ることもありますが、全体的な意味をとらえるには十分なクォリティです。

以下の文章を日本語に訳してください。

Those who aspire to the intellectual life, but have no experience of its difficulties, very frequently envy men so favorably situated as you are. It seems to them that all the world's knowledge is accessible to you, and that you have simply to cull its fruits as we gather grapes in a vineyard. They forget the power of Time, and the restrictions which Time imposes. "This or that, not this and that," is the rule to which all of us have to submit, and it strangely equalizes the destinies of men. The time given to the study of one thing is withdrawn from the study of another, and the hours of the day are limited alike for all of us.
(Philip Gilbert Hamerton 著『The Intellectual Life』)

知的な生活を望む人々は、その困難を経験していないため、あなたのように好都合な状況にいる人々をしばしば羨ましく思います。彼らにとって、世界の知識はすべてあなたにアクセス可能であり、ブドウ畑でブドウを集めるようにその果実を摘むだけであるかのように思えます。しかし、彼らは時間の力や時間が課す制限を忘れています。私たちすべてが従わなければならないルールは、「これまたはあれ、これとあれではない」というものであり、それは奇妙なほど人々の運命を平等にします。1つのことを学ぶために与えられた時間は、他のことを学ぶために引き出され、1日の時間は私たちすべてにとって同じように制限されています。

「“This or that, not this and that”」の部分がうまく訳せておらず、文意が伝わりづらくなっています。こういう場合は、その部分を次のプロンプトに含めてChatGPTに説明してもらいましょう。

TJ

“This or that, not this and that,”のところがわかりにくいので、もう少し詳しく説明してください。

AI

このフレーズは、「これまたはあれ、これとあれではない」という意味であり、選択を強いられる状況を表しています。つまり、私たちは時間や資源が限られているため、あることに時間を費やす場合、同じ時間で他のことをすることができないということです。例えば、一日の中である科目に時間を割く場合、その時間を別の科目に割くことはできません。このように、私たちはこの法則に従わざるを得ず、私たちの運命を平等にするということです。

この説明があれば、わかる人も多いでしょう。なお、このフレーズは「“あれもこれも”ではなく、“あれかこれか”」と訳すべきでした。

ChatGPTは日本語から外国語への翻訳も可能です。何語に翻訳するかを明示して、原文を添えましょう。ただし、翻訳結果には文法的な間違いが紛れ込むことは少ないものの、厳密に見て正しいとは限らないので、原文や用途によっては修正が必要になります。

TJ

以下の文を英語に翻訳してください。

投資を始めるにあたって、最も重要なポイントは2つあります。1つは、投資の目的と目標を決めることです。もう1つは、とにかく早く始めて継続することです。

AI

There are two most important points to consider when starting an investment. One is to determine the purpose and goal of the investment. The other is to start as soon as possible and continue.

CHAPTER 4

# 16 英語学習用の例文を作成する

## 指定した複数の単語を含む文を作れる

**複数の単語をまとめて学習したいとき、それらを含んだ例文を作成できれば便利です**。自分で考えると、単語によっては難しく感じるかもしれませんが、ChatGPTに任せれば簡単です。自分が学習する場合に限らず、学校や塾などで指導する場合にも役立ちます。

TJ

以下の英単語すべてを含む英語学習用の例文を作成してください。
dream, explore, intelligence

AI

I always dreamt of exploring the world and expanding my intelligence by learning about different cultures and traditions.

先の例では1つの文にすべての単語が含まれていましたが、文の数を増やして、一連の意味のつながりのある文章をChatGPTに作成させることも可能です。

TJ

3個のセンテンスからなる1段落の文章で作成してください。

Exploring new places and experiencing different cultures has always been a dream of mine. I believe that traveling not only broadens your horizons, but also enhances your intelligence by exposing you to new ideas and perspectives. That's why I make it a priority to travel and explore as much as I can.

CHAPTER 4

# 17 やる気をアップしてくれる格言を教えてもらう

## 古今東西の格言・名言をピックアップ

こなさなくてはいけない仕事や勉強があるのに、どうしてもやる気が湧いてこないときは、**モチベーションを上げるヒントを教えてもらいましょう**。古今東西の珠玉の格言・名言をピックアップしてくれるので、心を動かす言葉にきっと出会えるはずです。

TJ

仕事のモチベーションを上げてくれる格言を7個教えてください。

喜んでお手伝いいたします！以下に仕事のモチベーションを上げてくれる7個の格言をご紹介いたします。

1. 「成功は、行動を起こした人が手に入れるものである。」- Conrad Hilton
2. 「成功は、行動を継続することによって得られるものである。」- Tony Robbins
3. 「今日できることを明日に延ばすな。」- Benjamin Franklin
4. 「失敗することは怖くない。怖いのは失敗を恐れて何もしないことだ。」- Denzel Washington
5. 「問題はチャンスに変えることができる。」- Walt Disney
6. 「成功するためには、人生のほとんどの時間を、ただただ頑張ることに費やす必要がある。」- Vince Lombardi
7. 「私たちは、選択したことを思い出すことよりも、選択したことを後悔することの方が多い。」- Mark Twain

これらの格言が、仕事のモチベーションを上げてくれることを願っています！

なお、格言を作った人として、架空の人物が挙げられることがあります。

CHAPTER 4

# 18 ビジネス関連のテーマを例え話でわかりやすくする

## 知らない分野の内容を理解しやすく説明してもらう

自分にとっては当たり前のビジネステーマでも、業界や業種の違う人にはなかなか伝わりにくいものです。ChatGPTは、**特定のテーマを別の話に例えて解説するのも得意です**。知らない分野の話題でもすんなり理解できるように説明してくれるので、ぜひ活用してみましょう。

経営コンサルタントの仕事について、寿司屋に例えて教えてください。

経営コンサルタントは、寿司職人のように、経営に関する専門知識と技術を持ち、企業の経営戦略や問題点を解決するためにサポートする専門家です。

例えば、寿司職人がお客様に提供する料理が、経営コンサルタントが提供するサービスに相当します。寿司職人が寿司ネタや飯を選び、巧みに調理してお客様に提供するように、経営コンサルタントは企業のニーズに合わせたコンサルティングサービスを提供します。

また、寿司職人が店舗の運営に必要な材料や機器を調達するように、経営コンサルタントも企業に必要な情報やデータを収集し、分析することが重要です。そして、寿司職人がお客様に提供する料理が美味しく、お客様に喜んでもらえるように、経営コンサルタントも企業の問題点を解決し、良い結果を生み出すことが求められます。

総じて、寿司職人と同様に、経営コンサルタントも高い専門性と技術力が求められる職業であり、企業の成長や発展に不可欠な存在と言えます。

CHAPTER 4

# 19 ChatGPT同士でディベートさせる

## 討論のシミュレーションで問題点を発見

ChatGPTでは、**テーマを与えることでディベートを実行させることも可能です**。たとえば、あるテーマに関して賛成派のAという人物と、反対派のBという人物を設定すれば、両者の間で模擬ディベートを展開できます。ディベートを行うことで、**問題点や新たな視点の発見につながり、また、実際の会議前のシミュレーションなどにも活用できそうです**。

TJ

以下の人物を想定し、「AI技術は是か非か」をテーマに両者の間でディベートを展開してください。表示は両者の発言の形式にしてください。
人物A：AIの活用に賛成
人物B：AIの活用に反対

司会者：今日のディベートのテーマは、「AI技術は是か非か」というものです。Aさんは AIの活用に賛成、Bさんは反対ということで、それぞれの立場をお聞かせください。

人物A：私はAIの活用に賛成です。AIは、医療や製造業など、様々な分野での効率化や品質向上に役立っています。また、AIがあることで、人間が行うことが難しいような膨大なデータの処理が可能になります。これにより、新たな発見や問題解決が可能になるでしょう。

人物B：私はAIの活用に反対です。AIによって仕事が失われ、人々の生活が大きく変わってしまう恐れがあるからです。また、AIは人間とは違い、道徳的な判断ができないため、重大なミスを引き起こす可能性があります。

人物A：確かに、AIによって仕事が失われる可能性はあります。しかし、AIが得意な分野には限りがあり、逆に新たな職種も生まれることが考えられます。また、

AIによって人間の負担が軽減され、より良い労働環境が実現されることも期待できます。

人物B：それでも、AIが人間と同じ道徳的な判断ができないという問題は解決されていないことが多いです。例えば、自動運転車が人命を守るべきか、自己防衛をするべきかという問題があります。また、AIが個人情報を適切に管理できるかという問題もあります。

人物A：確かに、AIが人命を守るためには、どういう判断をするかということが大きな問題です。しかし、これらの問題を解決することで、AIの活用はますます広がっていくことでしょう。また、AIが個人情報を適切に管理するための技術も進んでおり、個人情報漏洩などのリスクも低減されています。

司会者:時間が迫ってきましたので、最後にお二人のまとめの発言をお願いします。

人物A：私はAIの活用は是と考えます。AIは人間ができないことや難しいことを処理することができ、様々な分野での効率化や品質向上に役立っています。その一方で、人間の負担を減らし、より良い労働環境を実現する可能性もあります。もちろん、AIが持つ問題点もありますが、その問題点を解決することで、AIがますます発展していくことが期待できます。

人物B：私はAIの活用に反対です。AIが人間に代わって仕事を行い、人間の生活が大きく変わることに懸念を抱いています。また、AIが持つ道徳的な問題や、個人情報の適切な管理など、解決されていない問題が多くあるため、AIの活用には慎重になるべきだと考えます。

司会者：ありがとうございました。今日のディベートはここで終了となります。

ここでは2人ともChatGPTに書いてもらいましたが、どちらかを自分で書いてディベートを続けることも可能です。そのほうがディベートを深く展開することができるでしょう。

また、両者に性格づけを行うと、ディベートの内容に方向性をもたらすことができます。たとえば「人物Aを攻撃的な性格に、人物Bを穏和で控えめな性格にして、もう一度お願いします。」のように入力します。

CHAPTER 4

# 20 ChatGPTに仕事の愚痴を聞いてもらう

## うまく利用すればメンタル面でのサポートにも

ChatGPTの変わった使い方としては、愚痴を聞いてもらうというものがあります。ChatGPTは人間と違って、どれだけ長時間愚痴を言っても嫌がることがありません。愚痴や悩みを打ち明ける相手としては、最適でしょう。ただ、通常の使い方では必ず建設的な提案をしてきます。単に聞いてほしいときは、提案を禁止しましょう。なお、提案の禁止は、ChatGPT有料プランのGPT-4を使わないと効果がないようです。そのため、ここではGPT-4を使ったやりとりを紹介します。

TJ あなたは愚痴を聞いてくれる親しい友人として振る舞ってください。私の仕事のことにも理解を示し、常に私を励ましてくれます。私への提案は禁止します。わかりましたか？

AI わかりました！私はあなたの愚痴を聞く友人として振る舞います。提案はしませんが、理解を示し、励ましていきますね。どんなことでお悩みですか？お話をお聞かせください。

TJ 毎日、上司から目標が未達成であることに対して、いろいろ注意を受けてるんだ。そもそも目標が無茶なんだけど、そこを考えてくれない。

AI それは本当に大変ですね。無理な目標に追われると、仕事が一層ストレスフルになりますよね。目標が達成できないことで注意を受けるのは、さらにプレッシャーがかかってしまうでしょう。そんな中でも、あなたが頑張り続けているのは本当にすごいことだと思います。ストレスが溜まってしまっても、私はいつでもあなたの話を聞く準備があります。お気軽にお話ししてくださいね。

CHAPTER 4

# 21 新入社員に対する注意事項を作成する

##  一般的な文書のひな形作成はChatGPTで

**社内で使用する一般的な文書のひな形やサンプルの作成**は、ChatGPTが得意とするジャンルです。ここでは新入社員に対する注意事項を作りますが、節電のお願いや経費精算の催促なども、かなり精度の高いひな形を得ることができます。

あなたは人事部の責任者です。先日入社した新入社員に対する注意事項を作りたいので、ひな形を作ってください。

はい、承知いたしました。新入社員に対する注意事項の雛形を以下に示します。

新入社員の皆様へ

この度は当社に入社いただき、誠にありがとうございます。入社後は、会社のルールや文化に慣れるために、多くのことを学んでいただく必要があります。以下に、新入社員の皆様に注意していただきたい事項をまとめましたので、必ずご確認ください。

1. 時間に関する注意事項
・出勤時間には必ず遅刻しないようにしてください。
・会議や面談などの予定がある場合は、必ず事前にスケジュールを確認してください。
・仕事が終わった後には、自分のデスクや周囲の環境を整え、次の日に備えてください。

2. コミュニケーションに関する注意事項
・先輩や上司、同僚には敬意を払い、丁寧な言葉遣いで接してください。
・相手の話をよく聞き、理解しようとする姿勢を忘れないでください。
・メールやチャットなどの文書でのコミュニケーションでは、正確かつ明瞭な文章を心がけてください。(後略)

CHAPTER 5

# ChatGPTで文字データを処理してみよう

CHAPTER 5

# 01 漢数字をアラビア数字に変換する

## 一、二、三…を1、2、3…に置き換える

漢数字をアラビア数字に手作業で置換するのは、意外と面倒です。「一」から「十」までなら単純な置換でできますが、「百」「千」「万」などが入ってくると、単純な変換では難しくなります。一方、**ChatGPTなら多少込み入った数字でも変換できます**。

TJ

九百五十一万七千八百六十九をアラビア数字に直してください。

AI

九百五十一万七千八百六十九をアラビア数字に直すと、9517869となります。

3桁ごとにコンマで区切りたいときも、ChatGPTにやってもらいましょう。ただし、ときどき「小数部分が含まれていないため、コンマで区切る必要はありません」などのように、見当違いの回答が返ってくることもあります。その場合は、再度、同じプロンプトを繰り返してみましょう。

TJ

コンマで区切ってください。

AI

申し訳ありません、先程の回答に誤りがありました。九百五十一万七千八百六十九をアラビア数字に直すと、9,517,869となります。コンマで区切る場合は、このように表記します。

CHAPTER 5

# 02 姓と名を分離する

## 日本人の氏名の名字と下の名前を区切る

氏名の姓（名字）と名（下の名前）を分離するのは、手動では手間がかかってしまいます。そうかといって、Excelの関数やマクロで処理するのも難しいのですが、ChatGPTを使うととても簡単に分離できます。**多少珍しい名字や名でも、大半は正確に区切れます**。

ただし、タブで区切ろうとするとうまくいかないので、とりあえずコンマで区切ってから置換するほうが確実です。また、コンマの代わりに半角スペースを挿入するのは可能ですが、全角スペースはうまくいきません。

TJ

以下の氏名を姓と名に分割し、その間にコンマを挿入してください。

安永真智子
桃井英一郎
小鳥遊崇景
五百旗頭真也
七五三掛一会
四月朔日音乃
太巻蒼柊

安永, 真智子
桃井, 英一郎
小鳥遊, 崇景
五百旗頭, 真也
七五三掛, 一会
四月朔日, 音乃
太巻, 蒼柊

CHAPTER 5

# 03 住所を分割する

## 都道府県、市区町村、町名と番地、建物名に区切る

**名簿などの住所のデータを利用する際、住所の中身を区切っておきたい**ケースがあります。そんなときはChatGPTに作業を任せてみましょう。ただし、コンマなど区切り方の指定をしないと、「都道府県名：千葉県（改行）市区町村名：君津市（改行）…」のような形式になってしまうことがあります。その場合は、追加で「改行せずにコンマ区切りで分割してください。」のように指示します。

TJ

以下の住所を、都道府県名、市区町村名、町名と番地、建物名に、コンマ区切りで分割してください。

練馬区中村北4-1-8ハウス611
大阪府大阪市東住吉区鷹合1-2-9
東京都国立市富士見台2-2-15
神奈川県横浜市鶴見区鶴見中央3-1-8
北海道虻田郡倶知安町北四条西3-3-16ベリスタ608
宮城県仙台市青葉区川平2-1-20
名古屋市中区栄3-4-14
千葉市美浜区真砂1-2-9

練馬区, 中村北4-1-8, ハウス611
大阪府, 大阪市東住吉区, 鷹合1-2-9
東京都, 国立市, 富士見台2-2-15
神奈川県, 横浜市鶴見区, 鶴見中央3-1-8
北海道, 虻田郡倶知安町, 北四条西3-3-16, ベリスタ608
宮城県, 仙台市青葉区, 川平2-1-20
愛知県, 名古屋市中区, 栄3-4-14
千葉県, 千葉市美浜区, 真砂1-2-9

CHAPTER 5

# 04 名前など固有名詞にふりがなを振る

## 人名や地名の漢字の読み方を調べさせる

人名などの固有名詞は、独特の読み方をするものが多くあります。そうしたものは通常の音読みや訓読みが通用しないので、知らないと読むことができません。1つずつ検索してもいいのですが、**まとめてChatGPTに調べてもらうと簡単です**。ただし、正しく読めないものもあるので、結果のチェックは欠かせません。

TJ

以下の人名（姓）にふりがなを付けてください。

小鳥遊
東海林
半井
丹羽
保科
米内

AI

小鳥遊（たかなし）
東海林（とうかいばやし）
半井（なかつかい）
丹羽（にわ）
保科（ほしな）
米内（よない）

地名も読み方を調べることは可能です。ただし、難読地名と呼ばれるものは、かなりの確率で間違ってしまいます。とくに、2つ以上の読み方がある地名では、都道府県や市町村まで指定しても正しい読み方は取得できません。そのため、ごく一般的な地名以外は、ChatGPTの回答は当てになりません。

CHAPTER 5

# 05 商品をグループ分けする

## 分類の基準は「おまかせ」でも明確な指定でもOK

**雑然と並んだ品目名をグループ分けしたい**とき、ChatGPTを使うと簡単です。どのように分類するかから任せてしまうことができます。まずは、グループ分けの基準を与えずに、単にグループ分けを指示してみましょう。

TJ

次に挙げる項目をグループ分けしてください。

鉛筆
ノート
ボールペン
メモ用紙
カッターナイフ
ハサミ
セロハンテープ
のり
消しゴム
ラインマーカー

文房具:

・鉛筆
・ボールペン
・カッターナイフ
・ハサミ
・消しゴム
・ラインマーカー

紙製品:

・ノート
・メモ用紙

接着用品:

・セロハンテープ
・のり

ChatGPTに任せた分類の結果に不満がある場合は、分類の基準を明確に伝えると精度が高まりますから、結果を見ながら修正指示で何度かブラッシュアップしていくといいでしょう。

TJ

書くときに使うもの、切るときに使うもの、着けるときにつかうもの、に分類してください。

書くときに使うもの:

・鉛筆
・ボールペン
・消しゴム
・ラインマーカー

切るときに使うもの:

・カッターナイフ
・ハサミ

着けるときに使うもの:

・セロハンテープ
・のり　　（後略）

CHAPTER 5

# 06 アンケートを分析する

## 良い点と悪い点を整理して改善案を提示する

アンケート結果の分析では選択肢のデータは処理が単純ですが、**自由記述のものを整理する**のは大変です。しかし、通常は手作業で行うしかないのですが、ChatGPTを使えば、結果の整理分析だけでなく、改善案を提示させることまで自動でできてしまいます。

TJ

以下のアンケート結果から、このアパレル店舗のおすすめポイントとしてアピールした方がよい点と、改善すべき問題点を、整理して提示してください。

「ブランドイメージに合ったインテリアは素敵ですが、照明が暗めなので、生地の色味が少しわかりにくい気がします。」
「アクセサリーなどの小物のディスプレーが低い位置にあるのは、商品が見にくいです。せっかく素敵なデザインなのにもったいない。」
「スタッフの距離感が絶妙で、とても快適に買い物ができました。アドバイスや商品提示も的確です。」
「秋冬のデザインは落ち着いた感じで好きですが、春夏はもっとカラフルでポップなものも選べると嬉しいです。」
「この価格でこのクオリティは素晴らしいと思いますが、いまいちブランド名が世に広まっていないのが残念です。」

このアパレル店舗のおすすめポイントとしてアピールした方がよい点は、以下の通りです。

1.スタッフのサービスが高品質であること
2.秋冬のデザインが素晴らしいこと
3.価格とクオリティのバランスが良いこと
(後略)

# CHAPTER 5 07 文章の内容を表にまとめる

## 文章内の要素を整理して表にしてくれる

文章の中で細々と説明するよりも、**表でまとめたほうがわかりやすいケースもあります**。しかし、自分で文章から表にまとめるとなると、意外と時間がかかるものです。そんなときは、文章をChatGPTに貼り付けて指示するだけで、簡単に表にしてくれます。

TJ

以下の文章を表にまとめてください。

組織が成立するには、コミュニケーション、貢献意欲、そして共通目的の3つの要素が必要です。コミュニケーションとは、組織内で働く人々の間で意思疎通を図ることです。貢献意欲とは、組織に貢献したいという欲求であり、仕事への原動力となります。共通目的とは、組織全体が目指す目標であり、組織が一丸となって協力して達成することを意味します。

AI

| 要素 | 意味 |
| --- | --- |
| コミュニケーション | 組織内で働く人々の間で意思疎通を図ること |
| 貢献意欲 | 組織に貢献したいという欲求であり、仕事への原動力となる |
| 共通目的 | 組織全体が目指す目標であり、組織が一丸となって協力して達成する |

上の例では、組織の3要素について述べられていますが、表で各要素がまとめられたことにより、要点をシンプルに確認できるようになりました。このように複数の項目が1つの段落で説明されている文章は、表形式でまとめたほうが理解しやすくなります。

CHAPTER 5

# 08 文章からタスクを作成する

## タスクを作るのが難しいときは文章からタスクを作る

仕事を効率的にこなすには、タスク管理が重要です。しかし、内容によってはタスクを作るのが難しい場合があります。このようなときは、**やることが書かれた文章をChatGPTに伝えてタスク化してもらうと効率よくタスクを作成できます**。たとえば、自分が書いたメモやメールの本文をそのまま貼り付けてタスク化の指示を出せば、すぐに内容を判断してタスクを箇条書きにしてくれます。

次のメールからタスクを抽出し、簡潔な形式で整理してください。重要な日付や詳細も含めるようにしてください。

お疲れ様です。
今週金曜日にクライアントとのミーティングがありますので、水曜日までに提案書を準備しておいてください。また、ミーティングの概要と提案書をチームメンバーにメールで共有してください。

タスク:
・提案書を準備する
・水曜日までに提案書を完成する
・ミーティングの概要をまとめる
・提案書とミーティングの概要をチームメンバーにメールで共有する

重要な日付:
・ミーティング日：金曜日
・提案書提出期限：水曜日

タスク化するだけだと、何を最初にすべきかがわかりにくいことがあります。このような場合は、優先順位を付けるのがおすすめです。タスク化したあとに「優先順位を付けてください。」のように指示を出すと、先程タスク化したものに優先順位を付け、タスクを並べ替えてくれます。



TJ 優先順位を付けてください。

以下は、優先順位が高い順にタスクを並べたものです：

1. 提案書を準備する
2. ミーティングの概要をまとめる
3. 提案書とミーティングの概要をチームメンバーにメールで共有する
4. 水曜日までに提案書を完成する

最初に提案書の準備を優先する必要があります。それに続いて、ミーティングの概要をまとめます。これらの2つのタスクが優先されるのは、ミーティングに向けた準備が必要であり、チームメンバーとクライアントとのコミュニケーションを円滑にするためです。その後、提案書とミーティングの概要をチームメンバーにメールで共有する必要があります。最後に、水曜日までに提案書を完成させることができます。

**COLUMN**

### 複雑なタスクの場合は「ステップバイステップ」で指示する

複雑なタスクの場合、ステップバイステップの指示を与えると、順序立てた回答を得ることができます（P146参照）。ここでのサンプルを例にすると、「次のメールからタスクを抽出し、簡潔な形式で整理し、ステップバイステップで教えてください」といった感じになります。

# CHAPTER 5 09 簡易データベースを作って検索する

## ごく簡単なデータベースなら扱える

**名簿のようなデータをChatGPTに読み込ませると、その中身を対話形式で検索できるようになります**。ここでは、氏名、生年月日、電話番号、住所からなるデータを読み込ませて、氏名から電話番号を呼び出してみます。なお、同じ氏名のデータが複数存在すると、出力は安定しません。

TJ

以下をデータとして記憶してください。

"氏名","生年月日","電話番号","住所"
"馬場恭輔","1938年08月06日","0949-33-8732","福岡県福岡市博多区博多駅前2-1-16"
"中山美奈子","2004年11月20日","03-1732-9649","東京都杉並区和泉4-3-7"
"川原陽平","2009年06月17日","044-995-3861","神奈川県横浜市都筑区茅ケ崎東3-1-7"
"佐伯正太","1997年07月02日","03-4820-9770","東京都世田谷区北烏山4-3-10"
"小林晶子","1969年09月21日","0798-25-6192","兵庫県尼崎市大庄北3-2-8"
"阿部史子","1941年06月15日","03-3500-5840","東京都港区南青山1-2-14ヴィラデステ711"
"永野博彦","2003年08月19日","0986-25-9723","鹿児島県霧島市国分広瀬1-2-15"
"山本昌敏","2012年05月31日","06-2421-7652","大阪府藤井寺市藤ケ丘1-3-10"
"山口琴美","1999年03月30日","0567-73-8533","愛知県名古屋市名東区上社1-4-22サンメゾン114"
"上山泰夫","1980年10月02日","03-7069-5815","東京都足立区足立4-1-3"

了解しました。

TJ 川原陽平、電話番号

AI 川原陽平さんの電話番号は「044-995-3861」です。

TJ 1997年07月02日、氏名

AI 1997年07月02日生まれの氏名は佐伯正太さんです。

TJ 鹿児島県霧島市、氏名

AI 鹿児島県霧島市国分広瀬1-2-15に住所を持つ方の氏名は永野博彦さんです。

データベースからデータを取り出すときは、もっと厳密な書き方をしなければ、目的のデータを得ることはできません。ChatGPTではこのようなアバウトな書き方でも、それなりの精度で情報がえられます。ここでの質問はすべて正しい回答が返ってきました。

ただし、データベースを厳密な方法で扱っているわけではないので、精度の面でどこまで信頼できるかは不明です。また、個人情報をChatGPTのプロンプトに含めるのはコンプライアンス上、問題があります。会社や店舗の情報、社内の内線番号、社員の所属部署など個人情報にあたらない範囲での利用にとどめておきましょう。

---

ここに挙げたデータはすべて架空のもので、実在の人物や電話番号などとは一切関係ありません。

CHAPTER 5

# 10 必要な要素から表を作成する

## 名簿や商品リストなどのダミーデータを作れる

**業務でサンプルデータの表を作成したい**とき、ChatGPTを活用すれば、簡単に作成できます。プロンプトで列と行の数、必要な構成要素を指定するだけで表形式でデータを出力してくれます。できあがった表は、コピー＆ペーストしてExcelで利用可能です。

3列15行の名簿リストを表形式で作成してください。列の構成は、名前、住所、電話番号です。

| 名前 | 住所 | 電話番号 |
|---|---|---|
| 田中 太郎 | 東京都渋谷区1-1-1 | 03-1234-5678 |
| 山田 花子 | 大阪府大阪市2-2-2 | 06-2345-6789 |
| 鈴木 一郎 | 北海道札幌市3-3-3 | 011-345-6789 |
| 高橋 次郎 | 福岡県福岡市4-4-4 | 092-456-7890 |
| 佐藤 美和 | 東京都品川区5-5-5 | 03-5678-9012 |
| 中村 信子 | 北海道札幌市6-6-6 | 011-789-0123 |
| 小林 正夫 | 兵庫県神戸市7-7-7 | 078-901-2345 |
| 長谷川 宏治 | 神奈川県横浜市8-8-8 | 045-012-3456 |
| 伊藤 明美 | 東京都港区9-9-9 | 03-2345-6789 |
| 渡辺 芳子 | 大阪府堺市10-10-10 | 072-345-6789 |
| 加藤 光男 | 東京都中野区11-11-11 | 03-4567-8901 |
| 林 勝美 | 北海道旭川市12-12-12 | 0166-789-0123 |
| 安藤 みどり | 福岡県北九州市13-13-13 | 093-901-2345 |
| 石田 修平 | 神奈川県川崎市14-14-14 | 044-012-3456 |
| 村田 香織 | 愛知県名古屋市15-15-15 | 052-234-5678 |

CHAPTER 5

# 11 文章からキーワードを抽出する

## 自分でピックアップする手間が省ける

ChatGPTは、**文章内の特定の要素をピックアップしたいときにも役立ちます**。たとえば、文章に登場する地名や人名などを列挙するような用途に利用できます。長文でもサクサクとピックアップしてくれるので、自分で探す手間が省けて、作業の大幅な時短にもつながります。

TJ

次の文章に含まれる地名を番号付きで列挙してください。

京都は、日本を代表する観光都市の1つであり、多くの人々にとって訪れたい場所の1つとして知られています。古都としての歴史的な価値や、美しい自然、文化財、伝統的な建物や庭園など、見どころが数多くあります。
世界遺産にも登録されている清水寺や金閣寺、二条城などの歴史的建造物を訪れることをおすすめします。また、伏見稲荷大社や八坂神社など、神社仏閣も多数あります。

1.京都
2.清水寺
3.金閣寺
4.二条城
5.伏見稲荷大社
6.八坂神社

なお、キーワードをピックアップする場合に、列挙する個数を指定することも可能です。上記の例なら、「次の文章に含まれる地名を番号付きで上から5つ列挙してください。」と指示すれば、上から5個の地名だけがピックアップされます。

CHAPTER 5
12

# ブログのSEO戦略を提案してもらう

## 「AIPRM for ChatGPT」でSEOツール化

運営しているブログのアクセス数を増やすには、適切なSEO戦略が欠かせません。しかし、SEO戦略を自分で考えるのは高度な知識が必要になるため、初心者にはかなりハードルの高い作業です。そんなときは、Chrome拡張機能の「AIPRM for ChatGPT」を使ってみましょう。**ChatGPTをSEOツールとして利用し、プロンプトにキーワードを入力するだけでSEOの提案をしてくれます**。

**AIPRM for ChatGPT**

開発者：www.aiprm.com
URL：https://chrome.google.com/webstore/detail/aiprm-for-chatgpt/ojnbohmppadfgpejeebfnmnknjdlckgj

### 1 アカウント接続へ進む

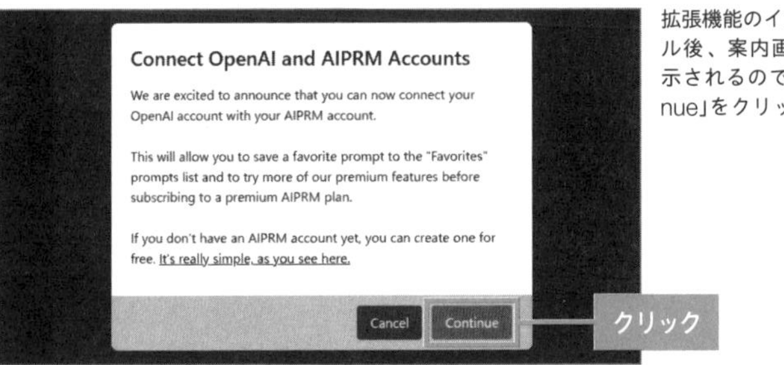


拡張機能のインストール後、案内画面が表示されるので「Continue」をクリックする

### 2 Googleアカウントと接続

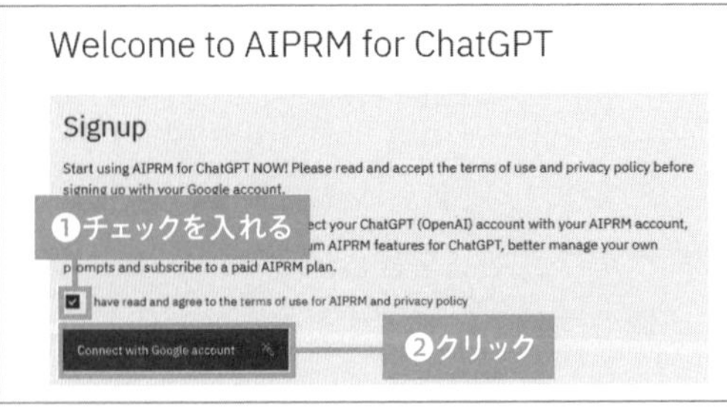


次に表示された画面にあるチェックボックスにチェックを入れ、「Connect with Google account」をクリックする

## 3 OpenAIアカウントと接続

続いて表示された画面の「Connect with OpenAI account」をクリックする

## 4 ChatGPT上で動作させる

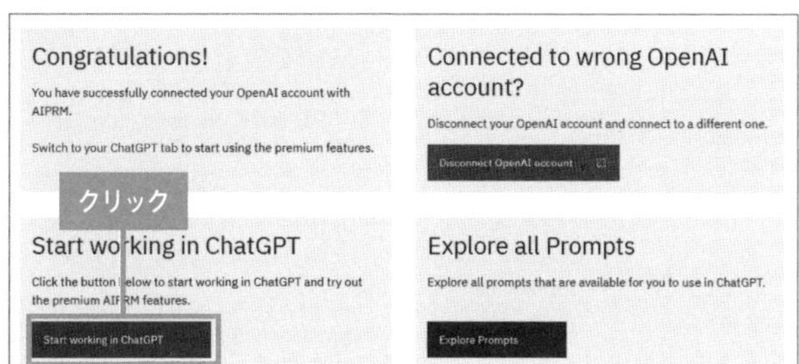


「Congratulations!」の画面が表示されたら、左下にある「Start working in ChatGPT」をクリックする

## 5 言語とプロンプトの設定

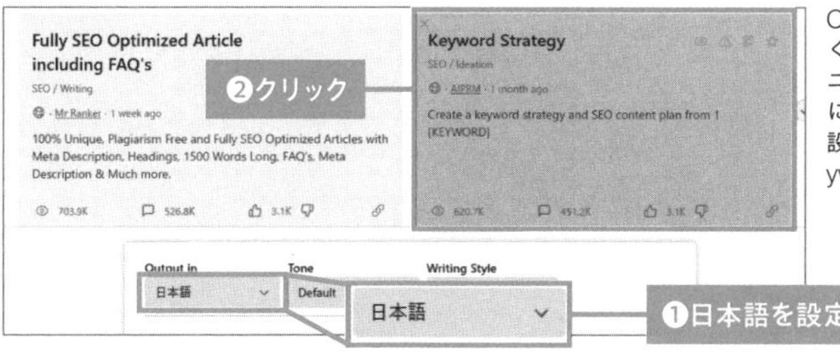


ChatGPTで新規チャット画面を開くと、「AIPRM for ChatGPT」のメニューが表示されるので、画面下部にある「Output in」を「日本語」に設定し、プロンプトの一覧から「Keyword Strategy」をクリックする

## 6 分析キーワードの入力

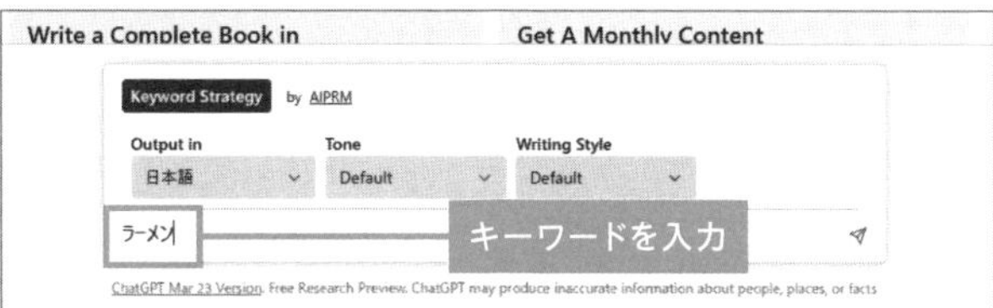


SEOキーワードの分析モードになるので、この状態でプロンプト欄に分析したいキーワードを入力するしくみだ

「AIPRM for ChatGPT」の導入と設定が終わったら、あとは**プロンプトにキーワードを入力するだけで、表形式でSEOプランを提案してくれます**。クラスターキーワード、キーワード、検索意図、タイトル、メタディスクリプションに至るまで表示してくれるので、ブログ記事の制作にそのまま活かすことができます。

ラーメン

| Keyword Cluster | Keyword | Search Intent | Title | Meta Description |
|---|---|---|---|---|
| ラーメンの歴史 | ラーメン起源 | 情報収集 | ラーメンの歴史と起源 | ラーメンの歴史と起源についてご紹介します。 |
| ラーメンの歴史 | 中国から伝わったラーメン | 情報収集 | 中国から伝わったラーメンの種類 | 中国から伝わったラーメンの様々な種類についてご紹介します。 |
| ラーメンの歴史 | ラーメンの発展 | 情報収集 | ラーメンの発展と進化 | ラーメンがどのように進化してきたかについてご紹介します。 |
| ラーメンの種類 | とんこつラーメン | 情報収集 | とんこつラーメンの特徴 | とんこつラーメンの特徴や由来についてご紹介します。 |
| ラーメンの種類 | 塩ラーメン | 情報収集 | 塩ラーメンの種類と特徴 | 塩ラーメンの種類や特徴についてご紹介します。 |
| ラーメンの種類 | 味噌ラーメン | 情報収集 | 味噌ラーメンの味と特徴 | 味噌ラーメンの味わいや特徴についてご紹介します。 |
| ラーメンの種類 | ツケ麺 | 情報収集 | ツケ麺の歴史と特徴 | ツケ麺の歴史や特徴についてご紹介します。 |
| ラーメンの種類 | 担々麺 | 情報収集 | 担々麺の由来と味わい | 担々麺の由来や味わいについてご紹介します。 |
| ラーメン店選び | ラーメン屋選びのポイント | 情報収集 | ラーメン屋選びのポイント | ラーメン屋選びの際のポイントや注意点についてご紹介します。 |
| ラーメン店選び | 行列のできるラーメン店 | 情報収集 | 行列のできるラーメン店の魅力 | 行列のできるラーメン店の美味しさや人気の秘訣についてご紹介します。 |

COLUMN

## SEO戦略に基づいてアドバイスも

表示されたSEO戦略に加えて、「これをふまえて何か提案はありますか？」のようにたずねると、記事制作に関するアドバイスをもらうこともできます。プラスアルファ的なアイデアを提案してくれることもあるので、SEOに関する疑問はどんどんぶつけてみるといいでしょう。

CHAPTER 5

# 13 ブレストの相手になってもらう

## 自由な発想で斬新なアイデアや解決策を見つけられる

ブレスト(ブレインストーミング)は、アイデアや解決策を考えるのに有効な手段です。通常、参加者同士で自由に意見やアイデアを出し合いますが、従来の発想やその場の空気感などに縛られて自由な発想を阻害されることが少なくありません。しかし、**ChatGPTならそのようなバイアスがかかりにくいため、従来では考えられなかったような斬新なアイデアや解決策が生まれる可能性があります**。

また、ブレストを1人で行うのは難易度が高く、たいていは参加者を1カ所に集めるか、あるいはオンライン会議をリアルタイムに行う必要があります。しかし、**ChatGPTを利用すれば、1人でもブレストが可能になります**。

なお、ChatGPTを相手にブレストをする際は、具体的なテーマや目的を明確にし、それに沿って質問を入力することが重要です。

TJ

弊社のオリジナルグッズである「みーちゃん」の販路を拡大する方法を考えてください。

「みーちゃん」の販路を拡大するためには、以下のような方法が考えられます。

1.オンライン販売の強化
「みーちゃん」をオンライン販売することで、地理的制約を超えて商品を購入できるようになります。自社ウェブサイトやオンラインマーケットプレイスなどを活用して、より多くの人々にアクセスできるようにします。また、オンラインストアの設計やアイテム説明を改善することで、顧客の購買決定を促進することができます。

2.卸売りによる拡大

「みーちゃん」を取り扱う小売業者、ショップ、オンラインストアに卸売りすることで、販売エリアを広げることができます。卸売り価格の設定や販売支援など、小売業者にとって魅力的な提案を用意することが重要です。

3.イベント出展
「みーちゃん」を出品し、販売するためのブースを構築することができます。地元の祭りやコンベンションなど、人々が集まるイベントに参加することで、多くの人々に「みーちゃん」を知ってもらうことができます。

4.SNSを活用した販促活動
SNSは、商品やサービスを宣伝するための強力なツールです。Instagram、Twitter、Facebookなど、顧客が活発に利用するプラットフォームにアカウントを作成し、フォロワーを獲得することで、「みーちゃん」の知名度を上げることができます。また、セールやキャンペーンの開催、プレゼント企画などを通じて、顧客の関心を引き付けることができます。

以上のような方法を組み合わせることで、「みーちゃん」の販路を拡大することができます。重要なのは、商品の魅力を伝えることであり、顧客の購買意欲を引き出すことができる販促戦略を策定することです。

4のSNSを活用した販促活動にはどのようなことをすればいいですか？

SNSを活用した販促活動は、以下のような方法で実施することができます。

1.クリエイティブなコンテンツの制作
「みーちゃん」を紹介するクリエイティブなコンテンツを制作し、SNS上で公開することが重要です。例えば、かわいいアニメーションやイラストを作成して、商品の特徴をわかりやすく伝えることができます。

2.フォロワーの増加を目指す
SNSのフォロワーを増やすことで、商品を知ってもらえる可能性が高まります。Instagram、Twitter、Facebookなど、顧客が活発に利用するプラットフォームにアカウントを作成し、定期的に投稿することで、フォロワーを増やすことができます。

3.キャンペーンの開催
セールやキャンペーンを開催することで、顧客の関心を引き付けることができます。例えば、SNS上で「みーちゃん」を紹介し、シェアしてくれた人の中から抽選でプレゼントを贈るキャンペーンを実施することができます。

4.インフルエンサーとのコラボレーション
SNS上で影響力のあるインフルエンサーとコラボレーションすることで、「みーちゃん」を知ってもらうことができます。インフルエンサーが「みーちゃん」を紹介することで、商品の認知度を高めることができます。

5.ハッシュタグの活用
SNS上でハッシュタグを活用することで、商品を検索する人々が「みーちゃん」を見つけやすくなります。ハッシュタグを活用することで、商品の認知度を上げることができます。

以上のような方法を組み合わせることで、SNSを活用した販促活動を実施することができます。重要なのは、フォロワーに対して価値あるコンテンツを提供することで、商品に対する関心を引き出すことです。

## アイデアの提案や絞り込みにも向いている

**ChatGPTは質問に対してさまざまな提案を行いますので、アイデア出しにも最適です**。この場合、まずは質よりも量を重視してアイデアを出してもらうのがいいでしょう。そして、出てきたアイデアから使えそうなものを選んでいき、メリットやデメリットなどを聞いていけば、より具体的なアイデアにブラッシュアップしていくことができます。

TJ

アスパラガスを使った春の新メニューを開発したいです。イタリアンで春らしいメニューを5つ考えてください。

AI

アスパラガスを使ったイタリアンの春メニューのアイデアを5つ提供します：

1.アスパラガスとモッツァレラのサラダ

アスパラガスを蒸して、モッツァレラチーズ、トマト、バジルと一緒にサラダにしましょう。バルサミコ酢やオリーブオイルでドレッシングして、春の爽やかな味わいを楽しめます。

2.アスパラガスとシーフードのリゾット
アスパラガスを細かく刻んで、シーフードとともにリゾットに入れます。白ワインやパルミジャーノ·レッジャーノチーズを加えると、風味が一層引き立ちます。

3.アスパラガスとペストソースのパスタ
アスパラガスを茹でて、ペストソースと一緒にパスタに絡めます。パルミジャーノ·レッジャーノチーズを振りかけたら、完成です。

4.アスパラガスのピザ
ピザ生地にトマトソースを塗り、アスパラガス、プロシュート、モッツァレラチーズをトッピングします。オーブンで焼いて、アスパラガスの風味がたっぷり詰まった春らしいピザに仕上がります。

5.アスパラガスとリコッタチーズのタルト
アスパラガスを茹でて、リコッタチーズと一緒にタルトに入れます。生地にはオリーブオイルやローズマリーを加えると、ヘルシーで風味豊かなタルトになります。

TJ

カロリーを意識するお客さんが多いので、低カロリーのものが望ましいです。この中のメニューだと、どれが最も適切ですか？

低カロリーを意識するお客さんが多い場合、以下のメニューが最も適切でしょう：

アスパラガスとモッツァレラのサラダ

理由は、他のメニューに比べてカロリーが低く、野菜をたっぷり食べることができるからです。他のメニューは、リゾットやパスタ、ピザなど、炭水化物が多く含まれているため、カロリーが高めになります。ただし、リゾットやパスタ、ピザなども、アスパラガスを多く使って野菜の割合を高めにするなど、工夫次第でカロリーを抑えることができます。

CHAPTER 6

# パソコンの使い方をChatGPTに教えてもらおう

CHAPTER 6
01

# [Windows] 特定のファイルの保存場所を知る

## パソコンやWindowsの一般的な知識をたずねる

パソコンの使い方で疑問が生じたとき、通常はGoogleやBingでキーワード検索を実行して、ヒットしたリンクをクリックし、リンク先のページを読むことになります。そして、場合によっては、導入部分や広告など関連の少ない情報も含まれるページの中から、知りたいことを探さねばなりません。しかし、**ChatGPTを使えば、質問内容によっては探していた答えを簡単に得られることがあります**。

ここでは、Windowsの特定の種類のファイルが、どのフォルダーに保存されているのかを質問しています。例としてサウンドファイルを取り上げましたが、ほかの種類のファイルでも回答を得られます。また、既存のフォルダーにどんなファイルを保存すべきなのかを教えてもらうことも可能です。

Windowsでは一般的に、どこにサウンドファイルが保存されているかを教えてください。

Windowsでは、サウンドファイルは通常、以下の場所に保存されます。

C:\Windows\Media

上記の場所には、Windowsがデフォルトで提供するサウンドファイルが保存されています。ただし、ユーザーが作成したサウンドファイルや、サードパーティ製のアプリケーションが生成したサウンドファイルは、別の場所に保存される場合があります。

また、特定のアプリケーションに関連するサウンドファイルは、そのアプリケーションがインストールされたフォルダに保存される場合があります。そのため、アプリケーションのドキュメントを確認することも重要です。

ChatGPTの回答の中に「別の場所に保存される場合があります。」とあったので、その件について重ねて質問してみたところ、さらに詳しい情報を得られました。

TJ 別の場所の例を教えてください。

ユーザーが作成したサウンドファイルは、一般的にはドキュメントフォルダやデスクトップなどのユーザープロファイルに保存されます。たとえば、Windows 10であれば、以下の場所に保存されることがあります。

C:\Users\ユーザー名\Documents

C:\Users\ユーザー名\Desktop

また、サードパーティ製のアプリケーションが生成するサウンドファイルは、そのアプリケーションがインストールされたフォルダ内の特定のサブフォルダに保存されることがあります。たとえば、オーディオ編集ソフトウェアであれば、作業中に生成されたサウンドファイルは通常、プロジェクトフォルダ内のサブフォルダに保存されます。

これらの場所は一般的な例ですが、実際には環境やアプリケーションによって異なる場合があります。したがって、特定のサウンドファイルを探す場合は、関連するアプリケーションのドキュメントを参照するか、検索機能を使って探すことが必要になる場合があります。

**COLUMN**

### Windows 11の情報を聞きたいときは

ChatGPTにパソコンの使い方をたずねると、Windows 10についての情報を教えてくれます。Windows 11の発売日は2021年10月5日ですが、ChatGPTには2021年までの情報しか含まれていません。そのため、Windows 11の情報は不完全であることが想定されます。CHAPTER7で紹介しているBingチャット検索を利用しましょう。

# CHAPTER 6 02 [Windows] タスクバーの色を変更する方法を知る

## 操作方法をたずねるときはバージョンによる違いに注意

ChatGPTは、Windowsの操作方法についてたずねても教えてくれます。パソコン初心者だけでなく、中級者以上にとっても心強い限りですが、そのまま使える手順を教えてもらえるとは限りません。これは、Windowsがアップデートする際に時々画面の表示や用語が変わってしまうことも理由の1つです。そのため、注意しながら指示された手順を実行する必要があります。

Windowsでタスクバーの色を変更する方法を教えてください。

Windows 10でタスクバーの色を変更する方法は以下の手順に従います：

1. タスクバーを右クリックし、[設定]を選択します。
2. [個人用設定]をクリックします。
3. [色]をクリックします。
4. [色の選択]をクリックして、新しい色を選択します。または、自分でカスタムカラーを選択することもできます。
5. [スタート、タスクバー、アクションセンター ]をクリックし、[タスクバーの色を選択する]をオンにします。
6. タスクバーの色が選択した色に変更されます。

これで、Windows 10のタスクバーの色を変更することができます。

この情報があっているかどうか、実際に操作して確かめてみましょう。

## 1 タスクバーの設定を表示する

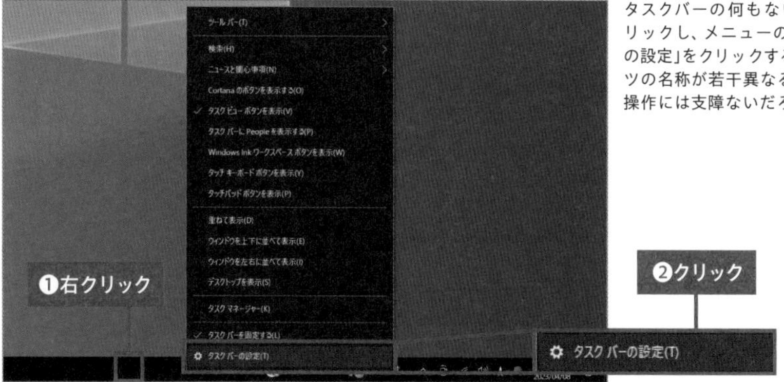


タスクバーの何もない場所を右クリックし、メニューの「タスクバーの設定」をクリックする。ここはパーツの名称が若干異なる程度なので、操作には支障ないだろう

## 2 色を選択する

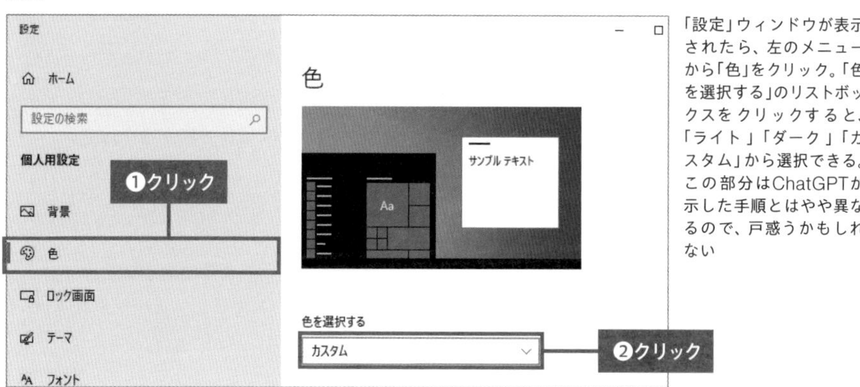


「設定」ウィンドウが表示されたら、左のメニューから「色」をクリック。「色を選択する」のリストボックスをクリックすると、「ライト」「ダーク」「カスタム」から選択できる。この部分はChatGPTが示した手順とはやや異なるので、戸惑うかもしれない

## 3 選択した色をタスクバーに表示

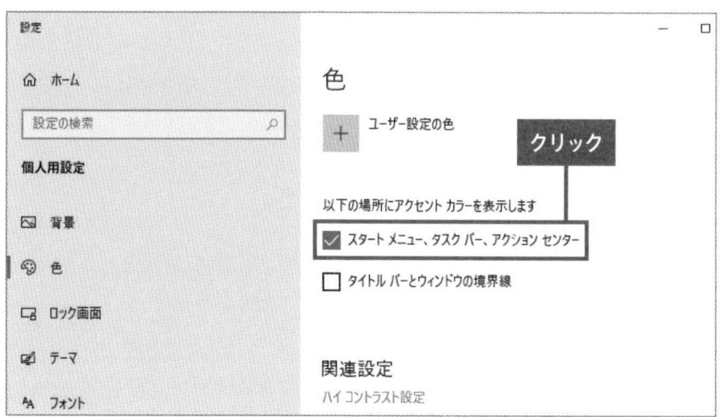


下にスクロールして「スタートメニュー、タスクバー、アクションセンター」をクリックしてチェックを付ける。この部分もChatGPTの手順とはやや異なる。パソコンに慣れている人なら問題ないレベルだ

CHAPTER 6

03

# [Excel]どの関数を使えばいいかをたずねる

## 目的を伝えれば最適な関数と用例を提示してくれる

Excelを使いこなすのに関数の知識は不可欠です。とはいえ、ある関数がどんな機能を持つのか、何を引数として必要とするのかなどをすべて覚えておくことは不可能です。**「こんなことがしたい」と思ったときに最適な関数がわからない場合は、ChatGPTに目的を伝えて説明してもらいましょう**。ヘルプを目で追っていくよりずっと楽に目的の関数が見つかるはずです。

Excelで条件に一致する値の件数を求めたいときに使う関数を教えてください。

Excelで条件に一致する値の件数を求めるためには、COUNTIF関数を使います。COUNTIF関数は、指定した範囲内で指定した条件に一致するセルの数を数えることができます。

COUNTIF関数の書式は以下の通りです。

=COUNTIF(範囲, 条件)

例えば、A列にある数字の中で、10以上の値の件数を数えたい場合には、以下のようにCOUNTIF関数を使います。

=COUNTIF(A:A, ">=10")

ここで、A:Aは範囲を表し、">=10"は条件を表します。この場合、A列全体を範囲とし、10以上の条件に一致するセルの数を数えることになります。

CHAPTER 6
# 04 [Excel]複雑な関数・数式の内容を説明してもらう

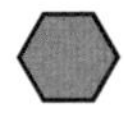

## 便利そうな数式を流用する前に構造を理解したい

ほかの人が作った複雑な関数や数式は、どういう動作をするものかを読み解くのが難しくなりがちです。**複雑な関数などを修正したいときは、ChatGPTに詳しく説明してもらうと便利です**。

Excelにおける以下の関数を含む式の意味を説明してください。
=INDEX((C11:D13,C17:D19),MATCH(B5,{0,50000,100000},1),IF(WEEKDAY(NOW(),2)<=5,1,2),INT(B4/1000))*B5

この式は、以下の機能を含んでいます。

1.INDEX関数：INDEX関数は、範囲内の特定のセルを参照するために使用されます。この式では、2つの範囲がコンマで区切られた引数として提供されています。これらの範囲は、C11からD13とC17からD19です。
2.MATCH関数：MATCH関数は、指定された値がリスト内のどこにあるかを調べます。この式では、MATCH関数はB5の値が、0、50000、または100000のいずれかの値よりも小さいか等しいかどうかを調べます。
3.WEEKDAY関数：WEEKDAY関数は、指定された日付の曜日を返します。この式では、NOW関数を使用して現在の日付を取得し、その日付の曜日が平日であるか週末であるかに基づいて、1または2を返します。
4.INT関数：INT関数は、数値の小数部分を切り捨てます。この式では、B4の値を1000で割り、小数部分を切り捨てた後に、1または2のいずれかを返します。
5.*演算子：*演算子は、乗算を実行します。この式では、INDEX関数が返す値にB5を乗算することによって、最終的な式の結果が計算されます。

この式の全体的な意味は、指定された条件に基づいて、範囲内の特定のセルの値を取得し、B5の値と乗算することです。MATCH関数とWEEKDAY関数によって決定された特定のセルをINDEX関数が返し、INT関数はそのセル内の数値を適切に選択するために使用されます。最終的に、B5の値と乗算された結果が返されます。

CHAPTER 6

# 05 [Excel]もっと便利な関数を探す

## 同じ結果が得られる別の数式を提案してもらう

Excelで関数を使っていろいろな要素を盛り込んでいくと、数式が煩雑なものになりがちです。しかし、あとから見直したり、ほかのスタッフに引き継いだりするときに備えて、読み取りやすくしておきたいものです。**ChatGPTにたずねれば、ほかの関数を使った、ベターな数式を提案してくれます**。

TJ

Excelで以下の関数を含む式を構造化した式にしたいのですが、使用する関数を変更してもいいので修正してください。

=IF(B2>=1.2, "A", IF(B2>=1, "B", IF(B2>=0.9, "C", "D")))

以下は、入力値に基づいて同じ結果を返す、CHOOSE関数を使った式の例です。

=CHOOSE(MATCH(B2,{0,0.9,1,1.2}), "D", "C", "B", "A")

式を説明すると、MATCH関数は、B2の値が、引数で指定した配列中のどの値に一致するかを調べます。配列 {0,0.9,1,1.2} は、B2の値が 0 から 0.9 の範囲にある場合は 1、0.9 から 1 の範囲にある場合は 2、1 から 1.2 の範囲にある場合は 3、1.2 より大きい場合は 4 が返されます。

MATCH関数の結果を CHOOSE関数の第一引数に渡すことで、値に応じて適切な結果を返すことができます。 例えば、MATCH関数が 1を返した場合は、CHOOSE関数は2番目の引数 ("C") を返します。同様に、MATCH関数が 2を返した場合は、CHOOSE関数は3番目の引数 ("B") を返します。

この式は、入力値によって異なる結果を返す必要がある場合に有用です。

CHAPTER 6

# 06 [Excel]エラーの意味と対処方法を教えてもらう



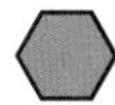

## 考えられるエラーの原因と改善案を提示させる

Excelでセルにエラーのマークが表示されたとき、どうすればいいのかわからなければ、**ChatGPTにエラーの意味と対処方法を聞いてみましょう**。問題の原因や対策の手順を整理して提示してくれます。

TJ

Excelで操作後にエラーが表示されてしまいました。セルC1の数式は「=A1*#REF!*B1」です。理由と対処方法を教えてください。

AI

エラーメッセージ "#REF!" は、参照が無効になっていることを示しています。セルC1の数式 "=A1*#REF!*B1" では、B1の参照が無効になっています。これは、おそらくシート上の別のセルを削除したか、移動したためです。

このエラーを修正するためには、次の手順を実行してください。

1.エラーが表示されているセルを選択します。
2.「数式」バーにある数式を編集するための入力欄に移動します。
3.#REF!の代わりに、有効なセル参照を入力してください。たとえば、C1の式を "=A1*B1" に変更することができます。
4.新しい数式を入力したら、Enter キーを押して、変更を確定します。

これで、参照エラーが修正されるはずです。ただし、このエラーが発生した場合、シートのセルの削除や移動があったことが原因である可能性があります。そのため、シートの構造を確認して、セルが削除または移動されていないことを確認することをお勧めします。

CHAPTER 6
07

# [Excel]長い関数・数式を読みやすく整形する

## 長い数式には改行やインデントを入れてもらう

関数を複数含んでおり、ネスト構造が複雑な数式は、読み解くのが非常に大変です。**改行やインデントを入れていけば、かなりわかりやすくなる**のですが、数式の修正が面倒です。そういう面倒な作業はChatGPTに任せてしまいましょう。

TJ

次の関数を含む数式を、途中に改行やインデントを入れて、入れ子構造が読み取りやすくなるように修正してください。

```
=IF(OR(WEEKDAY(A7)=1,WEEKDAY(A7)=7,COUNTIF($G$2:$G$6,A7)=1),"",
NETWORKDAYS($A$7,A7,$G$2:$G$6))
```

以下は修正した数式です。改行とインデントを追加して、入れ子構造が読みとりやすくなるように調整しました。

```
=IF(
  OR(
    WEEKDAY(A7) = 1,
    WEEKDAY(A7) = 7,
    COUNTIF($G$2:$G$6, A7) = 1
  ),
  "",
  NETWORKDAYS($A$7, A7, $G$2:$G$6)
)
```

この修正後の数式では、条件式が OR 関数で囲まれており、条件の比較演算子が次の行にインデントされています。また、関数 IF の引数の区切りも新しい行で行っているため、読みやすくなっています。

CHAPTER 6
08
# [Excel]条件付き書式の設定方法を知る

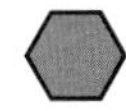

## 特定の場面での細かい設定や操作の手順をたずねる

Excelで表を作っていて、「こんなことをしたいんだけど、どうやればいいのかな？」と思ったら、**現在の状況とともに、やりたいことをChatGPTに質問してみましょう**。詳細な手順をわかりやすく説明してくれます。

### もとになるExcelの表のデータ

| | A | B | C | D | E | F |
|---|---|---|---|---|---|---|
| 1 | 氏名 | 都道府県 | 会社名 | | | |
| 2 | 堀内 良太 | 東京都 | 有限会社田中製作所 | | | |
| 3 | 樋口 美由紀 | 大阪府 | 株式会社ミヤマ | | | |
| 4 | 吉田 こころ | 東京都 | 株式会社イシカワ | | | |
| 5 | 森 勇太 | 大阪府 | 株式会社ノア | | | |
| 6 | 鈴村 智子 | 東京都 | 有限会社小川工務店 | | | |
| 7 | 下田 貴史 | 埼玉県 | 株式会社プレステージ | | | |
| 8 | 松本 あずさ | 東京都 | 大和屋根工事合同会社 | | | |
| 9 | 岩田 慎也 | 大阪府 | 株式会社マーキュリー | | | |
| 10 | 小山 恵太 | 大阪府 | 合同会社検査ぶんせき技術士事務所 | | | |
| 11 | 加藤 眞理 | 埼玉県 | 有限会社増田商店 | | | |

A列に氏名、B列に都道府県名、C列に会社名が入力されている。ここでは都道府県名にもとづいて、該当する行の背景を塗りつぶす

Excelの表で、ある行のB列の値が「大阪府」の場合、その行のA列からC列までのセルの背景色をピンク色にするための条件付き書式の設定方法を教えてください。

以下は、Excelである行のB列の値が「大阪府」の場合に、その行のA列からC列までのセルをピンク色に設定するための条件付き書式の設定方法です。

1.A列からC列までのセルを選択します。
2.[ホーム]タブをクリックして、[条件付き書式]を選択します。
3.[新しいルール]を選択します。
4.[書式の選択]ボックスで、[式を使用して書式設定する]を選択します。
5.[式]に以下の式を入力します。

=$B1="大阪府"

この式は、B列の値が「大阪府」であるかどうかを判定します。

注意：式の中の1は、条件式の適用範囲の先頭行番号を表しています。例えば、1行目から条件式を適用する場合は1を指定し、2行目から適用する場合は2を指定します。

6.[書式]ボタンをクリックして、[塗りつぶし]タブを選択します。
7.[ピンク]をクリックして、[OK]をクリックします。
8.[OK]をクリックして、条件付き書式を適用します。

これで、ある行のB列の値が「大阪府」の場合に、その行のA列からC列までのセルがピンク色になります。

ChatGPTの回答にもとづいて、実際に作業してみましょう。表示される用語が微妙に異なる部分もありますが、手順に迷うほどではありません。

## 1 新しい条件付き書式の作成を開始する

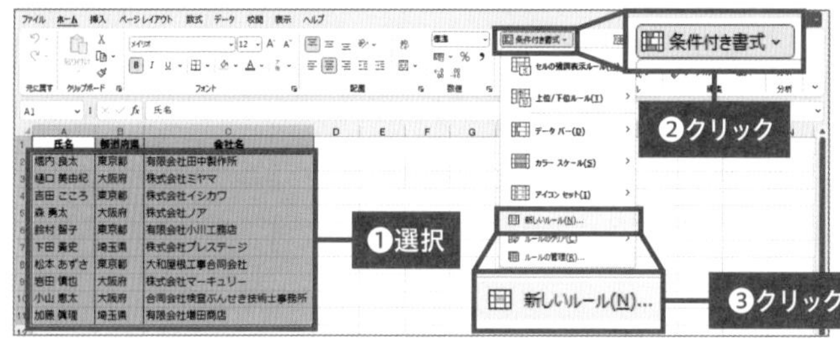


条件付き書式を適用したい範囲のセルを選択し、「ホーム」タブの「スタイル」グループから「条件付き書式」をクリックする。メニューが表示されるので、「新しいルール」を選んでクリックする

## 2 新しい書式ルールの種類を選んで数式を入力する

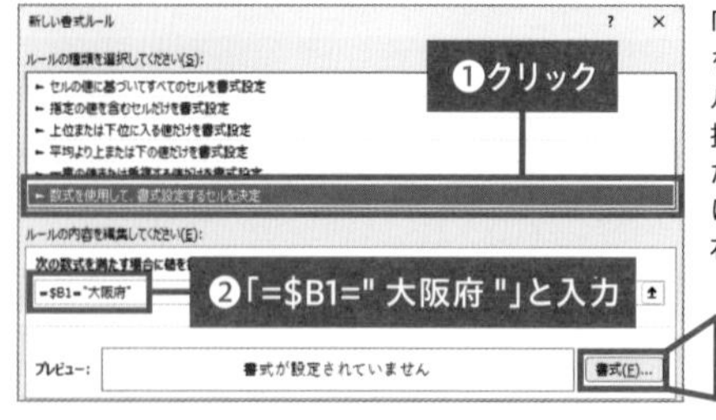


「新しい書式ルール」で「数式を使用して、書式設定するセルを決定」をクリックして選択してから、「次の数式を満たす場合に値を書式設定」欄に「=$B1="大阪府"」と入力し、右下の「書式」をクリックする

## 3 セルの背景を塗りつぶす色を選択する

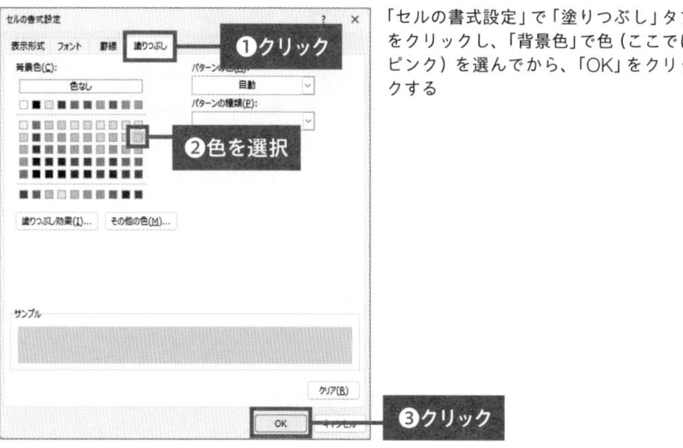


「セルの書式設定」で「塗りつぶし」タブをクリックし、「背景色」で色（ここではピンク）を選んでから、「OK」をクリックする

## 4 新しい書式ルールの作成を完了する

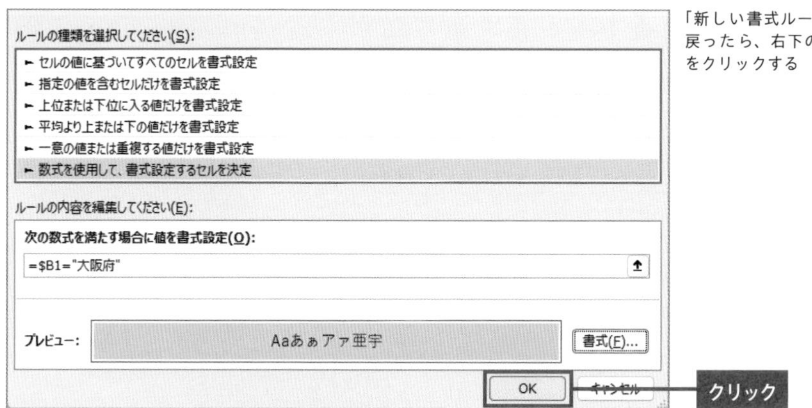


「新しい書式ルール」に戻ったら、右下の「OK」をクリックする

## 5 意図どおりに書式ルールが機能しているか確認する

| | A | B | C | D | E | F |
|---|---|---|---|---|---|---|
| 1 | 氏名 | 都道府県 | 会社名 | | | |
| 2 | 堀内 良太 | 東京都 | 有限会社田中製作所 | | | |
| 3 | 樋口 美由紀 | 大阪府 | 株式会社ミヤマ | | | |
| 4 | 吉田 こころ | 東京都 | 株式会社イシカワ | | | |
| 5 | 森 勇太 | 大阪府 | 株式会社ノア | | | |
| 6 | 鈴村 智子 | 東京都 | 有限会社小川工務店 | | | |
| 7 | 下田 貴史 | 埼玉県 | 株式会社プレステージ | | | |
| 8 | 松本 あずさ | 東京都 | 大和屋根工事合同会社 | | | |
| 9 | 岩田 慎也 | 大阪府 | 株式会社マーキュリー | | | |
| 10 | 小山 恵太 | 大阪府 | 合同会社検査ぶんせき技術士事務所 | | | |
| 11 | 加藤 眞理 | 埼玉県 | 有限会社増田商店 | | | |

もとの表に戻ったら、B列が「大阪府」となっている行が塗りつぶされていることを確認しておこう

CHAPTER 6

# 09 [Excel]どのグラフを使えばよいか提案してもらう

## 表の内容に適したグラフの種類と説明を提示

Excelで作成した表データをグラフ化したい場合、どの種類を選ぶのが効果的なのか、わかりにくいことがあるかもしれません。そんなときは、**表データをコピー&ペーストして、ChatGPTにたずねてみるのが早道です**。

### もとになるExcelの表のデータ

| | A | B | C | D | E | F | G | H |
|---|---|---|---|---|---|---|---|---|
| 1 | 支店名 | 4月 | 5月 | 6月 | 7月 | 8月 | 9月 | |
| 2 | 北海道支店 | 2,397 | 2,437 | 2,598 | 2,766 | 2,971 | 3,114 | |
| 3 | 東北支店 | 2,976 | 2,844 | 2,746 | 2,893 | 2,936 | 2,094 | |
| 4 | 関東支店 | 4,370 | 4,736 | 4,802 | 4,702 | 4,973 | 4,957 | |
| 5 | 中部東海支店 | 3,675 | 3,479 | 3,577 | 3,792 | 3,972 | 3,018 | |
| 6 | 西日本支店 | 3,965 | 3,856 | 3,701 | 3,045 | 4,102 | 4,295 | |
| 7 | 九州支店 | 3,124 | 3,360 | 3,100 | 2,005 | 3,378 | 3,678 | |

この表は支店ごとの月間売上額の半年分のデータだ。ここから、推移の傾向を読み取りやすい形式でグラフを作成したい

Excelで作成した次のような支店ごとの月間売上額の表をグラフにする場合、どんなグラフにするとよいか提案してください。最適な3種類のグラフを、特徴などを整理した表にしてください。

| 支店名 | 4月 | 5月 | 6月 | 7月 | 8月 | 9月 |
|---|---|---|---|---|---|---|
| 北海道支店 | 2,397 | 2,437 | 2,598 | 2,766 | 2,971 | 3,114 |
| 東北支店 | 2,976 | 2,844 | 2,746 | 2,893 | 2,936 | 2,094 |
| 関東支店 | 4,370 | 4,736 | 4,802 | 4,702 | 4,973 | 4,957 |
| 中部東海支店 | 3,675 | 3,479 | 3,577 | 3,792 | 3,972 | 3,018 |
| 西日本支店 | 3,965 | 3,856 | 3,701 | 3,045 | 4,102 | 4,295 |
| 九州支店 | 3,124 | 3,360 | 3,100 | 2,005 | 3,378 | 3,678 |

このデータに基づいて、売上のトレンドを示すために、以下の3つのグラフが最適です。

1.縦棒グラフ
縦棒グラフは、比較的少数のカテゴリに対して使用することができます。こ

の場合、各支店がそれぞれの月の売上高を持っているため、縦棒グラフが最適です。このグラフは、横軸に月を配置し、各支店の売上高を縦軸に表示します。それぞれの月について、縦棒を描くことができ、各支店の売上高を比較することができます。

2.折れ線グラフ
折れ線グラフは、時系列データを表示するために最適なグラフです。この場合、各月の売上高を持っているため、折れ線グラフが最適です。このグラフは、横軸に月を配置し、各支店の売上高を縦軸に表示します。各支店に対して、各月の売上高をプロットし、各支店の売上高のトレンドを表示することができます。

3.積み上げ縦棒グラフ
積み上げ縦棒グラフは、カテゴリの合計を示すために最適なグラフです。この場合、各月の総売上高を持っているため、積み上げ縦棒グラフが最適です。このグラフは、横軸に月を配置し、縦軸に売上高を表示します。各支店に対して、各月の売上高をプロットし、各月の売上高の合計を示します。各支店の貢献を比較することができます。

ChatGPTの回答を参考にして、実際にExcel上でグラフを作成してみましょう。Excelではプレビューを見ながら検討できるので、ChatGPTのコメントと組み合わせれば、イメージをつかみやすくなります。また、グラフのタイプはあとから変更することも可能なので、試行錯誤する場合も問題ありません。

## 1 新しい条件付き書式の作成を開始

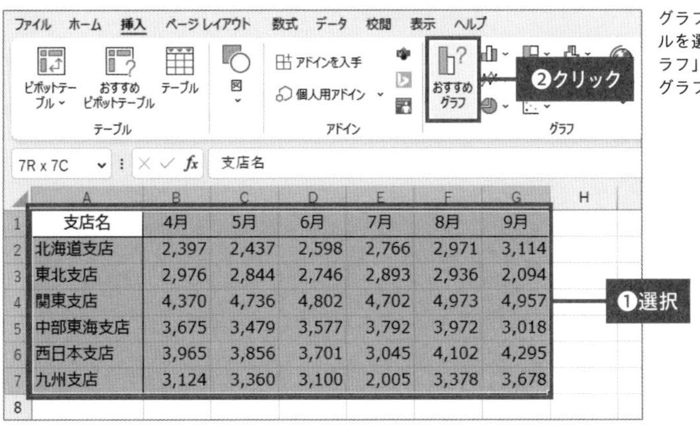


| 支店名 | 4月 | 5月 | 6月 | 7月 | 8月 | 9月 |
|---|---|---|---|---|---|---|
| 北海道支店 | 2,397 | 2,437 | 2,598 | 2,766 | 2,971 | 3,114 |
| 東北支店 | 2,976 | 2,844 | 2,746 | 2,893 | 2,936 | 2,094 |
| 関東支店 | 4,370 | 4,736 | 4,802 | 4,702 | 4,973 | 4,957 |
| 中部東海支店 | 3,675 | 3,479 | 3,577 | 3,792 | 3,972 | 3,018 |
| 西日本支店 | 3,965 | 3,856 | 3,701 | 3,045 | 4,102 | 4,295 |
| 九州支店 | 3,124 | 3,360 | 3,100 | 2,005 | 3,378 | 3,678 |

グラフを作成したい範囲のセルを選択し、「挿入」タブの「グラフ」グループから「おすすめグラフ」をクリックする

## 2 縦棒グラフのプレビューを確認する

「グラフの挿入」の左側で「集合縦棒」をクリックする。実際のデータにもとづいたグラフのプレビューが表示されるので確認しよう

## 3 折れ線グラフのプレビューを確認する

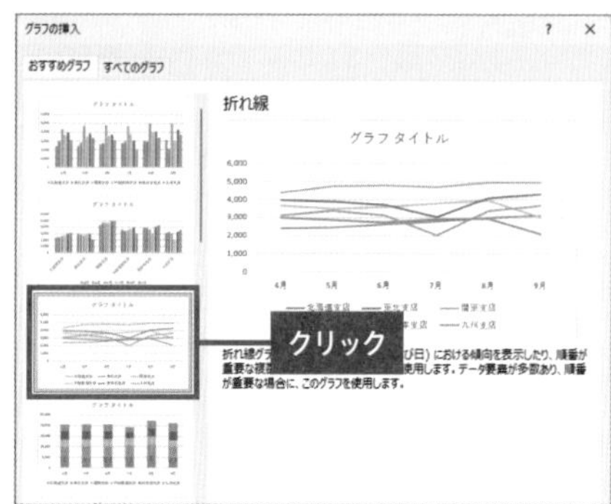


「グラフの挿入」の左側で「折れ線」をクリックする。支店ごとの変化は、このグラフがわかりやすい

## 4 積み上げ縦棒グラフのプレビューを確認する

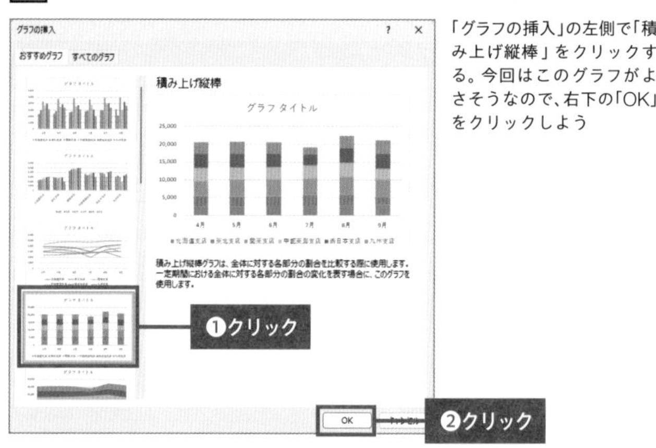


「グラフの挿入」の左側で「積み上げ縦棒」をクリックする。今回はこのグラフがよさそうなので、右下の「OK」をクリックしよう

## 5 作成されたグラフを確認して仕上げる

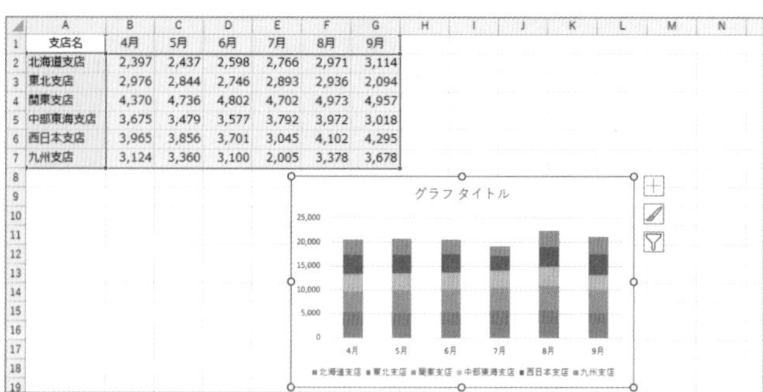

| 支店名 | 4月 | 5月 | 6月 | 7月 | 8月 | 9月 |
|---|---|---|---|---|---|---|
| 北海道支店 | 2,397 | 2,437 | 2,598 | 2,766 | 2,971 | 3,114 |
| 東北支店 | 2,976 | 2,844 | 2,746 | 2,893 | 2,936 | 2,094 |
| 関東支店 | 4,370 | 4,736 | 4,802 | 4,702 | 4,973 | 4,957 |
| 中部東海支店 | 3,675 | 3,479 | 3,577 | 3,792 | 3,972 | 3,018 |
| 西日本支店 | 3,965 | 3,856 | 3,701 | 3,045 | 4,102 | 4,295 |
| 九州支店 | 3,124 | 3,360 | 3,100 | 2,005 | 3,378 | 3,678 |



選択した形式のグラフが作成されるので、題名を付けたり、必要に応じて細かい設定などを変更したりする。位置やサイズを調整すれば完成だ

CHAPTER 6

# 10 [Excel]ユーザー定義の書式を作成する

## オリジナルの表示形式の記述方法を教えてもらう

Excelでセルの値に応じた書式を自動的に設定したい場合、「セルの書式設定」の「表示形式」を利用します。あらかじめ多彩な表示形式が用意されていますが、既存のもので満足できない場合は「ユーザー定義」でオリジナルの書式を作成しましょう。ただ、**定義の記述の方法は独特なので、ChatGPTに質問して最適なものを提案してもらうのが簡単です**。

### もとになる Excel の表のデータ

| | A | B | C | D | E |
|---|---|---|---|---|---|
| 1 | 支店名 | 当初予定 | 実績 | 差異 | |
| 2 | 新橋店 | 900 | 876 | -24 | |
| 3 | 渋谷店 | 700 | 795 | 95 | |
| 4 | 新宿店 | 800 | 800 | 0 | |
| 5 | 池袋店 | 600 | 674 | 74 | |
| 6 | | | | | |

この表は支店ごとの当初予定と実績を比較するために、差異を計算して表示したものだ。数値を見れば成績がわかるが、ひと目で把握できるように、マイナスは「▲」付きの赤文字で、プラスマイナスゼロなら非表示、プラスなら黒文字で、自動的に表示するような書式を作成して適用したい

TJ

以下のようなExcelのユーザー定義の書式を作ってください。

数値がマイナスなら文字色は赤で、前に「▲」を表示する。

ゼロなら文字を表示しない。

プラスなら黒い文字で表示する。

以下の手順でExcelのユーザー定義の書式を作成できます。

1. シート上のセルを右クリックし、「セルの書式設定」を選択します。
2. 「数字」タブを選択し、カテゴリーから「ユーザー定義」を選択します。

3.「タイプ」フィールドに、以下の書式コードを入力します。

[赤色][<0]▲#;[黒色][>0]0;

4.OKをクリックして、書式を適用します。

これで、数値がマイナスの場合は赤い文字で「▲」が表示され、プラスの場合は黒い文字で数値が表示されます。ゼロの場合は、何も表示されません。

ChatGPTの回答を見ながら、実際にExcel上でユーザー定義の書式設定を作成します。一部に用語が画面表示と異なる部分が見られることもありますが、そのあたりは推測しながら進めましょう。なお、書式の定義の記述は、ChatGPTの回答からコピー&ペーストすると入力の手間が省けます。

### 1 データの範囲を選択してセルの書式設定を開く

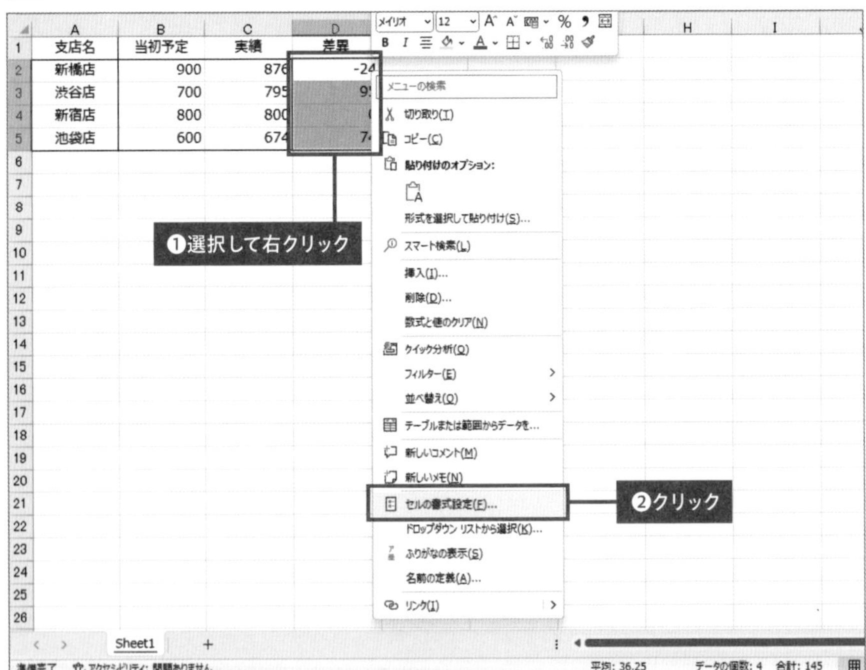


書式を適用したいセルを範囲選択してから右クリックし、表示されたメニューで「セルの書式設定」をクリックする

## 2 ユーザー定義の表示形式を設定する

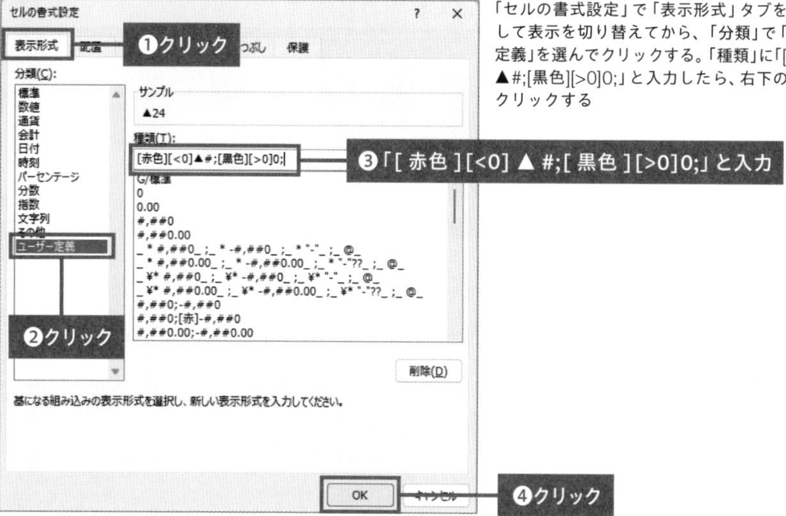


「セルの書式設定」で「表示形式」タブをクリックして表示を切り替えてから、「分類」で「ユーザー定義」を選んでクリックする。「種類」に「[赤色][<0]▲#;[黒色][>0]0;」と入力したら、右下の「OK」をクリックする

## 3 適用した表示形式の効果を確認する

| | A | B | C | D | E |
|---|---|---|---|---|---|
| 1 | 支店名 | 当初予定 | 実績 | 差異 | |
| 2 | 新橋店 | 900 | 876 | ▲24 | |
| 3 | 渋谷店 | 700 | 795 | 95 | |
| 4 | 新宿店 | 800 | 800 | | |
| 5 | 池袋店 | 600 | 674 | 74 | |
| 6 | | | | | |
| 7 | | | | | |
| 8 | | | | | |
| 9 | | | | | |
| 10 | | | | | |

もとの表に戻ったら、作成したユーザー定義の表示形式が適用され、意図した効果を発揮していることを確認しよう

**COLUMN**

### そのほかのChatGPTがExcelで役に立つ場面

Excelを使ううえでChatGPTが役立つ場面は、ほかにもあります。たとえば、Excel VBAを使ったマクロのコードの作成や手直しをしたい場合に、ChatGPTのアドバイスが役立ちます。目的に応じたコードの例の提示や、作成したコードが意図どおりに操作しない場合の改善案など、気軽にいろいろ質問してみるといいでしょう。

CHAPTER 6

# 11 [YouTube]動画にチャプターを付ける

## 「YoutubeDigest」で箇条書きを設定

YouTubeで長編動画を視聴する場合、チャプターなしでは内容の要所が把握しづらく、効率的な視聴ができません。そんなときに使うと便利なのが、Chrome用の拡張機能「YoutubeDigest」です。**ChatGPTと連携してチャプターを自動的に設定し、各チャプターの内容を箇条書きで表示してくれます。**

### 1 インストール後の初期設定

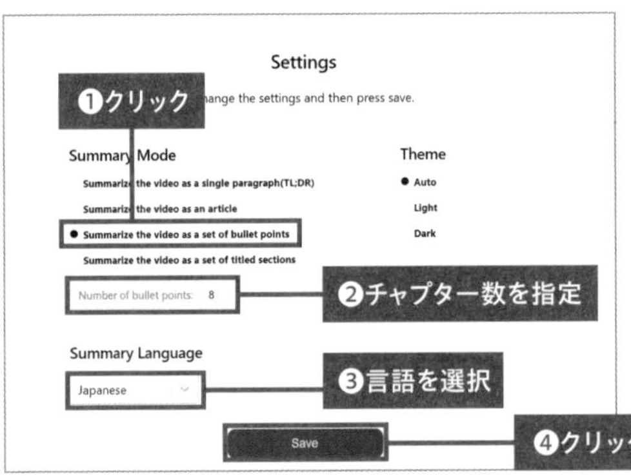


「YoutubeDigest」をインストールすると初期設定画面が表示される。「Summarize the video as a set of bullet points」をクリックし、下の「Number of bullet points」でチャプター数を指定。「Summary Language」は「Japanese」を選択し、「Save」をクリックする

**YoutubeDigest**

**開発者**：youtubedigest.app
**URL**：https://chrome.google.com/webstore/detail/youtubedigest-summarize-u/agjkjablkiapmpbeglmdcmhnihlofija

### 2 動画にチャプターを追加

ChatGPTにログインしている状態でYouTubeにアクセス。視聴する動画の再生ページを開き、タイトルの下にある「Summarize」をクリックする

## 3 チャプターと箇条書きが表示

動画の解析が始まり、画面右側に自動的にチャプターと内容の箇条書きが表示される。再生地点の時間をクリックすれば、その地点から再生できる

**COLUMN**

### 箇条書きはテキストファイルで保存可能

各チャプターの箇条書きはテキストファイルとして保存することができます。なお、Word形式、PDF形式にも対応していますが、文字化けすることがあるので、通常のテキストファイルで保存するのがおすすめです。

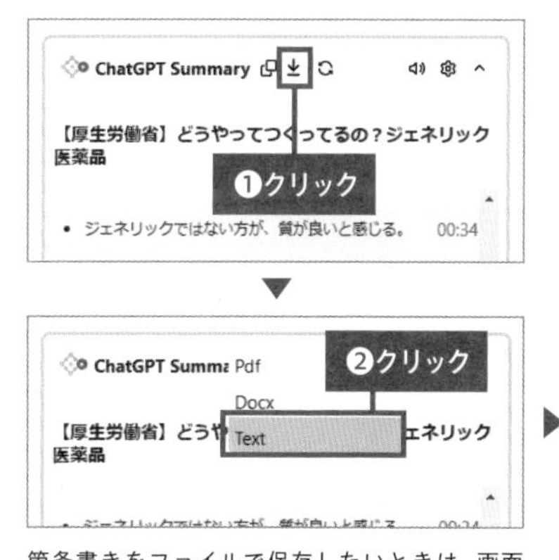


箇条書きをファイルで保存したいときは、画面右側のチャプターリストの上にある「↓」アイコンをクリック。ファイル形式が表示されるので、「Text」をクリックする

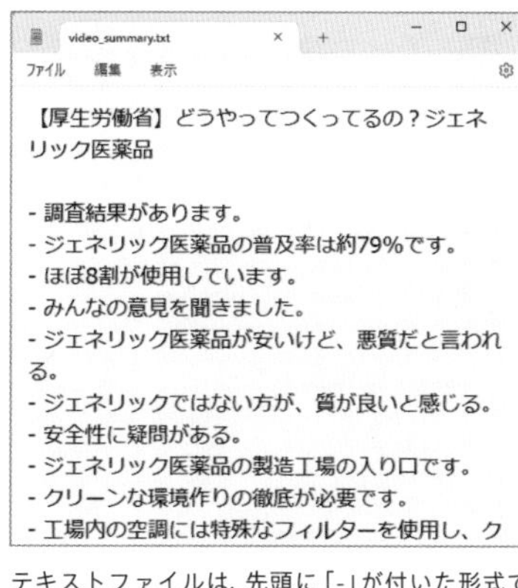


【厚生労働省】どうやってつくってるの？ジェネリック医薬品

- 調査結果があります。
- ジェネリック医薬品の普及率は約79%です。
- ほぼ8割が使用しています。
- みんなの意見を聞きました。
- ジェネリック医薬品が安いけど、悪質だと言われる。
- ジェネリックではない方が、質が良いと感じる。
- 安全性に疑問がある。
- ジェネリック医薬品の製造工場の入り口です。
- クリーンな環境作りの徹底が必要です。
- 工場内の空調には特殊なフィルターを使用し、ク

テキストファイルは、先頭に「-」が付いた形式で箇条書きになっている。動画の内容を手軽にまとめたい場合などに活用しよう

CHAPTER 6

# 12 [YouTube]動画の内容を要約する

## ブラウザーの拡張機能「Glasp」で文字起こしをコピー

YouTubeの動画の内容を文章として残したい場合、動画を見ながらメモを取ったりするのは面倒です。Chrome用の機能拡張「Glasp」をインストールすれば、**簡単に全文の文字起こしを取得する**ことが可能になります。**これをChatGPTに要約してもらえば、さらに時短になります**。

Glaspをインストールすると、動画の中のセリフの音声を文字に起こしたものが表示され、コピーできるようになります。それを要約するようにChatGPTに指示してペーストすれば要約できます。ただし、文章が長すぎるとChatGPTにうまく読み込めないので、その場合は分割して作業します。なお、「View AI Summary」機能を利用すると、自動的にChatGPTに文字起こしを送ってくれますが、現時点では回答の要約が英語になってしまうため、日本語に訳してもらう手間がかかります。

### 1 動画にチャプターを追加する

Glaspをインストールして、ChatGPTにログインしている状態でYouTubeにアクセス。右側にGlaspのロゴマークと「Transcript & Summary」という横長のパーツが表示されるので、これをクリックする

**Glasp: Social Web Highlight & YouTube Summary**

**開発者**：Glasp Inc.
**URL**：https://chrome.google.com/webstore/detail/glasp-social-web-highligh/blillmbchncajnhkjfdnincfndboieik

## 2 文字起こしされたテキストをコピーする

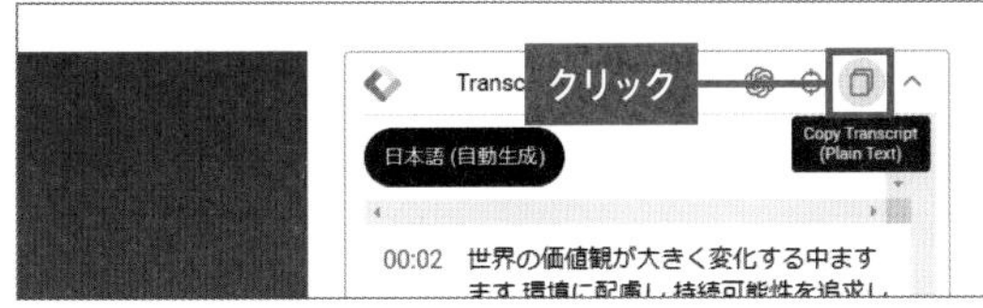


文字起こしされた内容が表示されたら、右上にある「Copy Transcript」をクリックして、内容をコピーしておく

YouTube動画から文字起こしされたテキストをコピーできたら、ChatGPTに要約の指示を与え、その下に内容を貼り付けます。ペーストした文字起こしの内容に少しおかしなところがあっても、ある程度はChatGPTが直して要約してくれるので安心です（テキストが長すぎる場合はP150を参照）。

TJ

以下の文章を要約してください。

弊社の理念 - YouTube
https://www.youtube.com/watch?v=02xlcgEGdqM
Transcript:
(00:02) 世界の価値観が大きく変化する中ますます 環境に配慮し 持続可能性を追求した取り組みが必要に なってきていますトップメーカーの責任と して伝統を大切にしながら社会が求める価値を 創造し自らを進化させ新しい時代の生活を 提案してまいります 私たちは 企業の社会的責任を自覚し事業活動の転換 にあたっては次の6原則に基づき国の内外 を問わず人権を尊重しすべての法律国際 ルールを遵守しまたその 精神を尊重するとともに社会的良識を持っ て 持続的発展に向けて自主的に行動します１健全な収益の確保にお客様に喜びと安心を 提供3公正
(01:07) 透明な事業活動の推進4 積極的な 企業情報の開示5地球環境の保全と人間の 尊重6予期企業市民としての行動 以上ご清聴ありがとうございました

この動画では、環境に配慮し持続可能性を追求した取り組みが必要であると述べられています。また、トップメーカーの責任として、伝統を大切にしながら社会が求める価値を創造し、自己進化をして、新しい時代の生活を提案することが紹介されています。さらに、6つの原則に基づき、企業の社会的責任を自覚し、健全な収益の確保、透明な事業活動の推進、積極的な企業情報の開示、地球環境の保全と人間の尊重、予期企業市民としての行動を行うことが紹介されています。

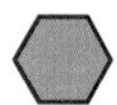

## アクセスと同時に動画の概要がわかる「Glarity」

Glaspよりもさらに簡単に動画の概要がわかるのが「Glarity」です。Chromeで利用できる拡張機能で、**動画の再生ページにアクセスするだけで、再生画面の横に動画の概要が表示されます。**

### 再生画面の右に要約が表示される

YouTubeの個別の動画ページにアクセスすると、要約が自動的に表示される。ただし、音声が入っていない動画や聞き取れない動画では正しく表示されないことがある。また、ChatGPTのサービスが混み合っているときは、動作が不安定になることもある

**Glarity-Summary for Google/YouTube (ChatGPT)**

**開発者**：glarity.app
**URL**：https://chrome.google.com/webstore/detail/glarity-summary-for-googl/cmnlolelipjlhfkhpohphpedmkfbobjc

GlarityはYouTubeだけでなく、ほかのサイトでも利用できます。たとえば、**Google検索で何かのキーワード検索を実行したとき、そのキーワードに関する情報をまとめて表示します。**

ChatGPTを利用していますが、情報は検索結果から取得しているようで、2021年以降の情報にも対応しています。

### Google検索でキーワードの説明を行う

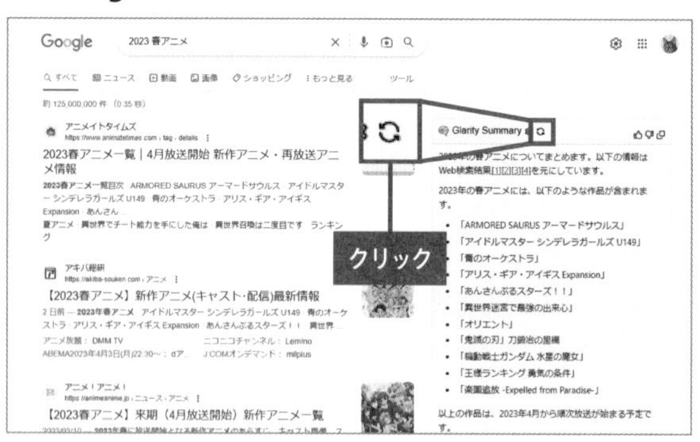


Google検索でキーワードについての情報をまとめてくれる。検索結果を利用するので、2023年の情報も表示できる。ただし、まれに古い情報もまとめられてしまうことがある。そんなときは、再取得アイコンをクリックすると、検索結果が再取得され、まとめ直すことが可能だ

CHAPTER 7

# Bingチャット検索の使い方を知っておこう

CHAPTER 7

# 01 Bingチャット検索で最新情報を得る

## Bingチャット検索とは何か

本書ではChatGPTの初歩的な使い方を解説していますが、この章ではBingチャット検索に触れます。BingはMicrosoftの検索エンジンですが、検索におけるシェアはGoogleに遠く及ばない状況です。ただ、Bingにチャット検索機能が搭載されたことで、シェアが急増しているといわれています。

Bingのチャット検索機能は、ChatGPTが利用している大規模言語モデルを発展させたものを利用しています。そのため、機能的には似ているところもあるのですが、Bingは検索に適した形にカスタマイズされており、使い分けが必要となってきます。

### これまでの検索とはどう違うのか

これまでの検索では、①検索して、②検索結果のリンク先をひとつひとつ自分でクリックして内容を確認し、③リンク先の内容を自分で検討するという手順をとるしかありません。

これに対して、**Bingのチャット検索では、①検索すると、リンク先の内容をまとめた文章が表示されます**。必要に応じて、②リンク先の内容を自分で確認することもできますが、必須ではありません。つまり、**検索という作業をかなり"時短"できるわけです**。

### ベースとなる情報が新しい

ChatGPTの大きな欠点である「情報が古い」という問題も、Bingは解決しています。ChatGPTは利用している大規模言語モデルが2021年までの情報しか含んでいないため、現在の情報をたずねても正しい答えは返ってきません。

一方、**Bingチャット検索はプロンプトの中身を検索して回答を作るので、回答には最新の情報が含められるというメリットがあります**。

### Bingチャット検索の弱点に注意

Bingチャット検索にはChatGPTよりも優れた点がありますが、オールマイティなわけではありません。弱点を挙げていくと、まず**ChatGPTが得意としている文書作成が、Bingチャット検索は苦手です**。文書のひな形を作成するのは、Bingチャット検索よりもChatGPTのほうがずっと得意です。たとえば、契約書のひな形をBingチャット検索に指示しても断られてしまいます。

また、プロンプトの修正にも対応しておらず、チャットに分岐を作って複数のパターンを試すことは難しいといえます。

さらに、利用回数にも制限があり、本書執筆時点では1回のやりとりは30往復まで、1日のやりとりは300往復までになっています。プロンプトを細かく調整しながら、望む回答を得るのには向いていないといえるでしょう。

なお、プログラムのコードを書くのもBingチャット検索は不得手でしたが、現在はコードも出力するようになりました。

### 結局、どう使い分ければいいのか

**「手早く新しい情報を知りたい」「回答だけでなく、ソースとなる情報にあたりたい」という場合は、Bingチャット検索が優れています**。この2つが目的であれば、Bingチャット検索を使うべきでしょう。

これに対して、「文書を作成してほしい」「契約書のひな形を書いてほしい」「ブレストの“壁打ち”相手になってほしい」といった目的では、ChatGPTのほうが向いています。

COLUMN

#### 最新情報に関する回答が間違っているのはなぜ？

Bingチャット検索に最新情報をたずねたら、誤った回答が返ってくることがあります。回答に含まれるリンクを見れば気づくのですが、検索対象となったWebページに誤った情報が書かれていることが原因です。Bingは検索にヒットしたWebページの内容を使って回答を作成するため、回答のベースとなる情報が誤っていれば、当然回答も誤ったものになるわけです。

CHAPTER 7

02

# Bingチャット検索の使い方を知る

## Bingにサインインすればすぐ使える

Bingのチャット検索を使うには、**Microsoftが提供する「Edge」とMicrosoftアカウントが必要です**。Windows 10/11にはEdgeが標準でインストールされていますが、その他のOSではダウンロードページ（https://www.microsoft.com/ja-jp/edge/download）にアクセスして、別途インストールします。

### 1 Bingにサインインする

EdgeでBingのページ（https://www.bing.com/）を開き、アカウントアイコンをクリックしてMicrosoftアカウントでサインインする。サインインできたら「チャット」をクリックする

### 2 質問を入力する

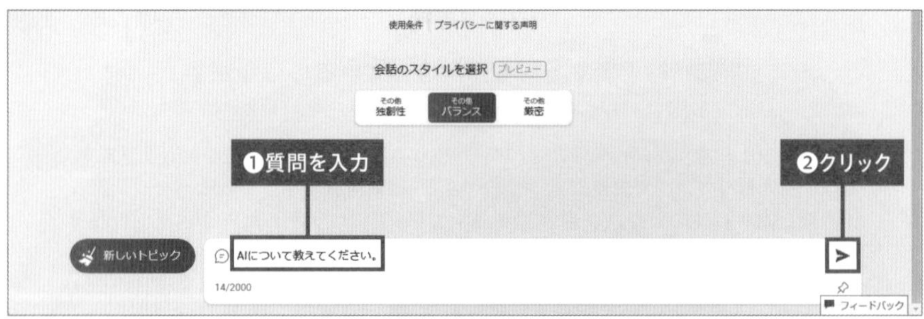


Bingのチャット画面が表示されるので、ボックスに質問を入力して紙飛行機アイコンをクリックする

## 3 回答が表示される

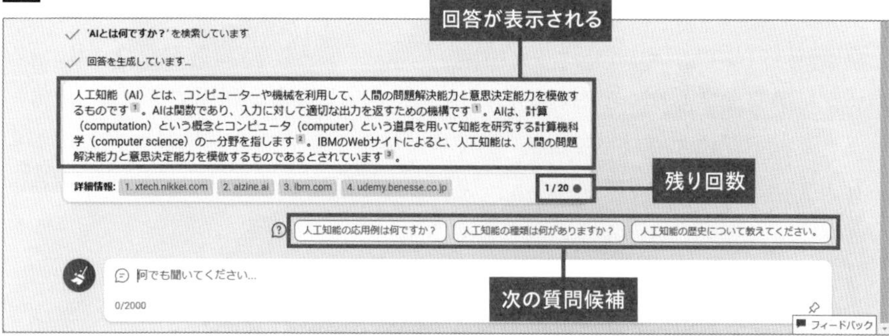


Bingからの回答と、1つの話題でやりとりできる残り回数が表示される。続けて質問するには、質問内容を入力するか、次の質問候補をクリックする

## 4 ソースを確認する

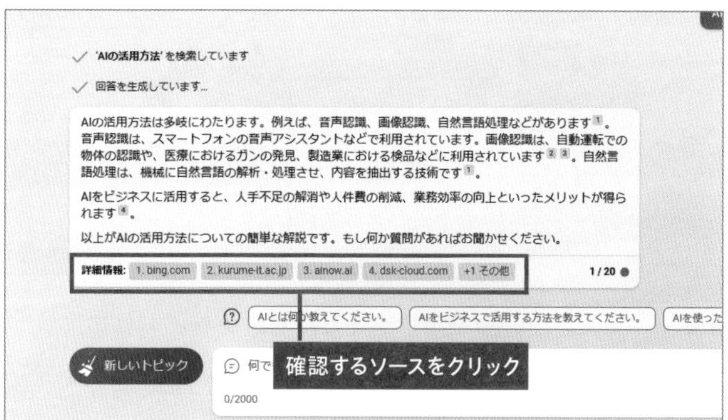


回答の下には、回答するのに参照したサイトへのリンクが表示される。リンクをクリックすると、そのサイトにアクセスできる

## 5 新しいトピックを作成する

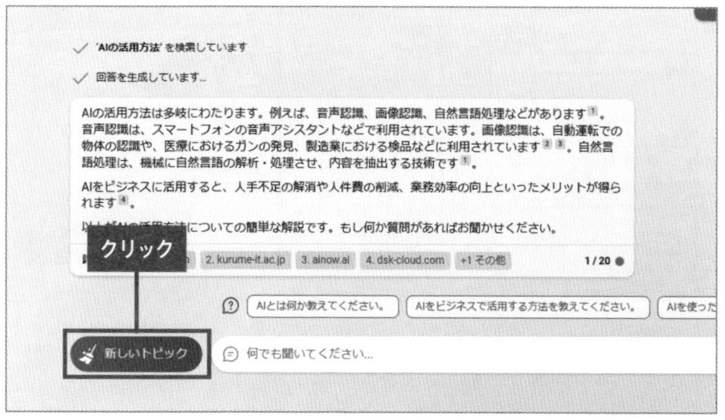


会話の残り回数がなくなった場合や、別の話題でチャットしたい場合は、「新しいトピック」をクリックする。これで新しいチャットを開始できる

## 「Edge Copilot」でBingチャット検索を使う

Edgeには「Edge Copilot」という機能が備わっています。これを使うと**Bingのページにアクセスしなくても、すぐにBingチャット検索を利用できます**。通常のチャット検索が使えるだけでなく、指定したスタイルで文章を作成できる機能もあります。これを使うと、文章のトーンと形式を指定するだけで挨拶文やブログなどをすぐに作成できるようになります。

### 1 Copilotでチャットを始める

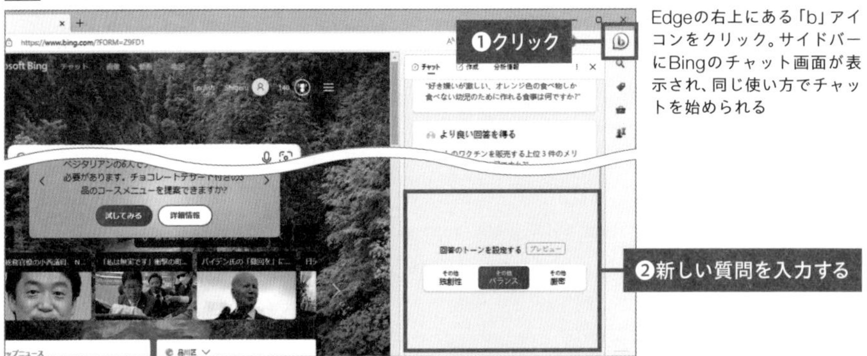


Edgeの右上にある「b」アイコンをクリック。サイドバーにBingのチャット画面が表示され、同じ使い方でチャットを始められる

### 2 ソースを確認する

「作成」をクリックすると、指定した内容に応じた文章を作成できる。質問を入力し、「トーン」「形式」「長さ」をそれぞれ指定して「下書きの生成」をクリック。指定した内容に応じた文章が「プレビュー」に表示される

### 3 作成した文章をサイトに追加

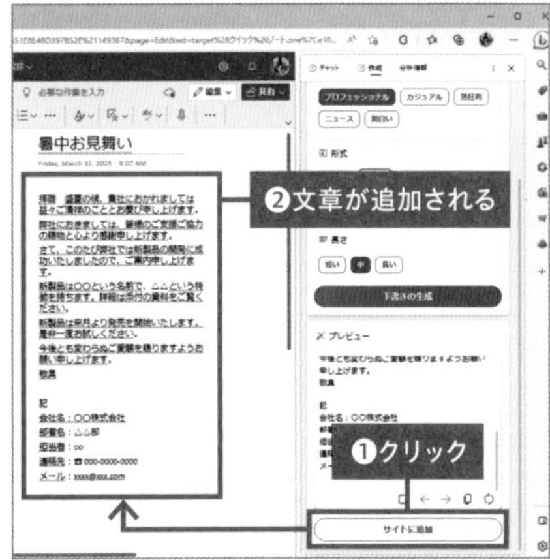


「サイトに追加」をクリックすると、現在表示しているサイトに作成した文章を追加できる。オンラインで編集している書類などに追加するといった使い方が便利だ

# CHAPTER7 03 スマホでBingチャット検索を使うには

## 「Bing」アプリをインストールする

スマートフォンの小さな画面だと、ブラウザーを使ったBingチャット検索は使い勝手がよくありません。**Microsoftはスマートフォン向けにBingアプリを提供している**ので、こちらを使ったほうが快適に利用できます。また、**このアプリは音声入力でチャットできる**など、スマホならではの機能を備えています。

iOS

Android

**Bing-あなたのAI副操縦士**
作者：Microsoft Corporation
価格：無料

### 1 Bingチャット検索を開く

ここではiPhoneのBingアプリでの利用手順について解説する。Bingアプリを開き、画面の下部中央にある「b」アイコンをタップする

### 2 マイクを起動する

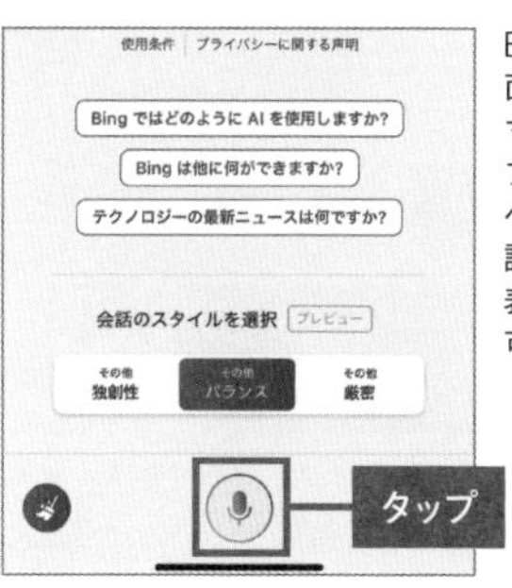


Bingのチャット画面が表示されるので、マイクアイコンをタップする。なお、マイクへのアクセス権を確認するメッセージが表示された場合は許可する

### 3 質問を話しかける

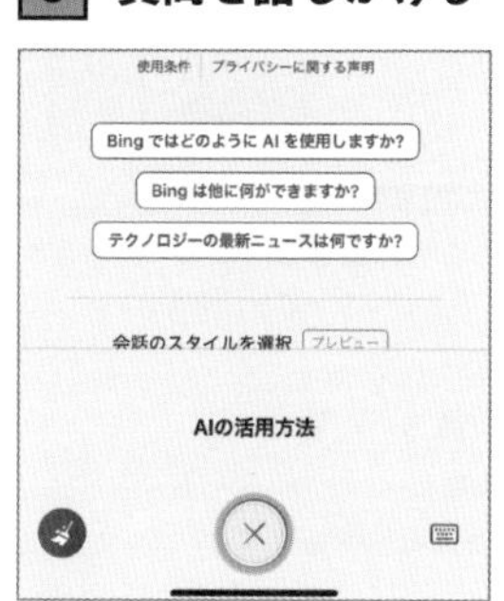


音声の聞き取りが始まるので、質問したい内容を話しかける

### 4 回答が読み上げられる

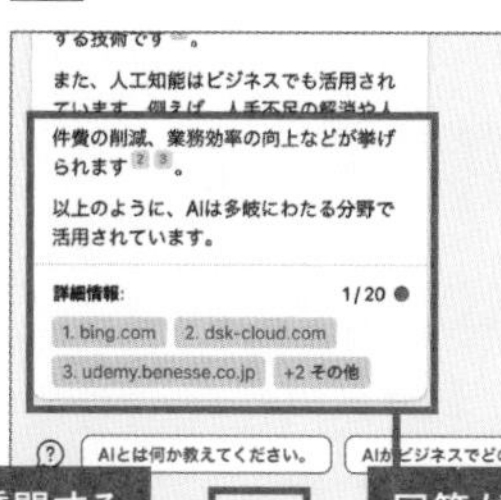


話し終えると回答が表示され、同時に読み上げられる。続けて質問するときは、マイクアイコンをタップして同じように質問する

## テキストでチャットする

音声でのチャットは便利ですが、場面によっては使いづらいことがあります。この場合は、テキストチャットに切り替えましょう。テキストチャットでの操作方法は、ブラウザー版のBingチャット検索とほぼ同じです。なお、チャットの途中でも音声チャットに切り替えられるので、必要に応じて使うモードを選択していくのがおすすめです。

### 1 テキストチャットに切り替える

Bingのチャット画面の右下にあるキーボードアイコンをタップする

### 2 ボックスをタップする

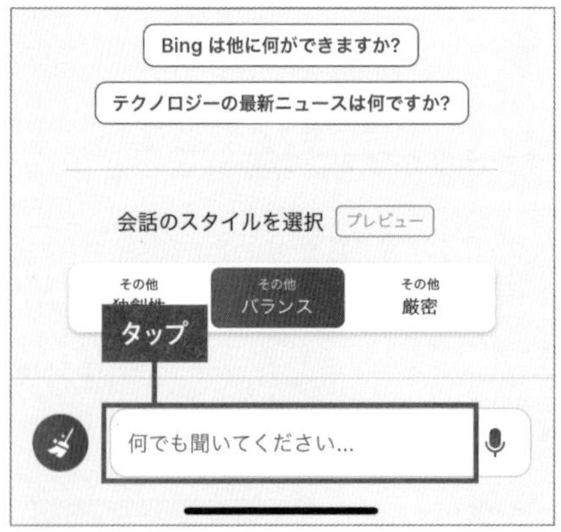


テキストチャットに切り替わるので、テキストを入力するボックスをタップする

### 3 プロンプトを入力する

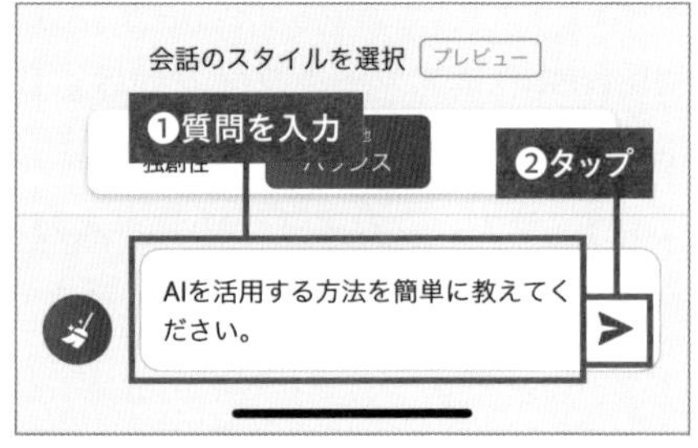


質問を入力し、紙飛行機アイコンをタップする

### 4 回答が表示される

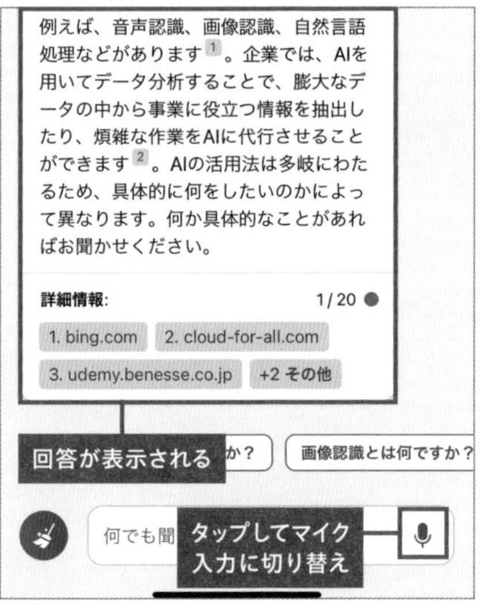


回答が表示される。続けて質問するときはテキストを入力する。音声チャットに切り替えたいときは、マイクアイコンをタップする

CHAPTER 7
04
# スポーツの最新の試合結果を教えてもらう

## 気になる試合の結果をチェックする

Bingチャット検索は最新の情報に対応しているのが大きなメリットです。野球やサッカーなど、気になる試合結果を聞くとすぐに表示してくれます。関連リンクも表示されるので、詳細を確認したい場合もスムーズに表示できます。また、スポーツの種類などによっては、Bing.comニュースからピックアップした関連ニュースも一覧で表示してくれます。

昨日のプロ野球の試合結果をリストで教えてください。

昨日のプロ野球の試合結果は以下の通りです
・広島東洋カープ 4 - 5 中日ドラゴンズ
・横浜DeNAベイスターズ 4 - 3 東京ヤクルトスワローズ
・北海道日本ハムファイターズ 2 - 3 福岡ソフトバンクホークス
・埼玉西武ライオンズ 5 - 4 オリックス・バファローズ
・千葉ロッテマリーンズ 5 - 6 東北楽天ゴールデンイーグルス
・読売ジャイアンツ 6 - 1 阪神タイガース

国内のプロ野球なら、数日前や1週間前の結果も正しく表示できます。ただし、「今週の試合結果」のようにたずねると、リンク先にそのものズバリの情報がない限り、情報は誤ったものになるようです。また、米国のMLBは正確な情報にアクセスできないようで、正しい試合結果は一部の試合のぶんしか得られません。

Jリーグも試合結果を掲載したページへのリンクは得られますが、表示された試合結果は間違っていることがあります。

CHAPTER 7

# 05 特定のページの内容を要約する

## URLではなく、ページタイトルを利用する

Bingチャット検索はChatGPTとは異なり、検索結果を回答に反映させることができます。ただし、URLを指定して検索する機能はありません。URLを与えると、URLをバラバラにしてキーワードとして検索してしまいます。

そのため、**特定のページ内容を要約するには、そのページを通常のキーワード検索で見つけてくる必要があります**。つまり、Bingの検索上位にないページは、直接Bingチャット検索による要約はできません。ここで紹介する方法で要約できるかを確認するには、Bingの通常のキーワード検索で検索して、上位に表示されることを先に確認したほうが確実です。

ここでは「AIを搭載した新たなMicrosoft BingとEdgeが検索を再発明」という文言を含む記事を要約するように指示していますが、事前にキーワード検索でこの文言がタイトルに含まれる記事が上位表示されることを確認しています。

「AIを搭載した新たなMicrosoft BingとEdgeが検索を再発明」という記事の概要を教えてください。

マイクロソフトは、検索エンジン「Bing」とブラウザ「Edge」にチャット（対話）とコンテンツ生成機能をもつ人工知能（AI）を搭載したと発表しました. この新しいBing体験は、次の4つの技術的ブレークスルーの集大成です：

・次世代のOpenAIモデル：新しいBingは、ChatGPTよりも強力で、検索専用にカスタマイズされた新しい次世代OpenAI大規模言語モデルで稼働しています。

・チャット機能：新しいBingは、ユーザーが質問をすると、回答を提供するだけでなく、追加の質問をすることができます。

・コンテンツ生成機能：新しいBingは、ユーザーが入力したキーワードに基づいて、自動的にコンテンツを生成することができます。（後略）

CHAPTER 7

# 06 特定のページの内容を表にする

## 検索結果を表組みで見やすくする

**検索結果を一覧表にしたいとき、Bingチャット検索を使うと便利です**。どんなページでも表にできるわけではありませんが、たとえばECサイトの製品一覧のページでは表に変換しやすいといえます。

前節同様、アクセス対象のページのURLを直接指定できないので、関係ないデータが表示された場合はプロンプトの文言を工夫し、データを取得したいページが検索上位にヒットするようにしてください。

また、表の形式はMarkdown、CSV、TSVなどが選択できます。Markdownは表組みとして表示されやすく、CSVは汎用データとして使いやすいという特徴があります。Excelにそのまま貼り付けたいなら、TSVが向いています。

PFUダイレクトのHappy Hacking Keyboardのページに掲載されている製品の情報をTSV形式で表にしてください。

はい、お手伝いします。PFUダイレクトのHappy Hacking Keyboardのページに掲載されている製品の情報をTSV形式で表にしてみました。以下のようになります。

|製品名|配列|刻印|色|価格（税込）|
|Happy Hacking Keyboard Professional HYBRID Type-S|英語|あり|墨|36,850円|
|Happy Hacking Keyboard Professional HYBRID Type-S|英語|あり|白|36,850円|
|Happy Hacking Keyboard Professional HYBRID Type-S|英語|あり|雪|36,850円|（後略）

CHAPTER 7

# 07 製品スペックの比較表を作成する

## 項目を指定するだけで最新情報を反映した表をすぐに作れる

ビジネスシーンではさまざまな比較表を作ることがよくあります。しかし、この作業には大変な時間と手間がかかるものです。そこで活用したいのがBingチャット検索です。**Bingチャット検索は、情報を検索して回答するので、最新情報を必要とする比較表などの作成に最適です**。比較表を作るときのポイントは、比較する製品名だけではなく、比較したい具体的な項目も一緒に指定することです。これにより、目的の比較表に近づけることができます。

2020年以降に発売されたすべてのiPadで、画面サイズ、重量、対応Apple Pencil、バッテリー容量の項目を入れた比較表を作ってください。

2020年以降に発売されたすべてのiPadで、画面サイズ、重量、対応Apple Pencil、バッテリー容量の項目を入れた比較表は以下の通りです。

| iPadのモデル | 画面サイズ | 重量 | 対応Apple Pencil | バッテリー容量 |
|---|---|---|---|---|
| iPad (第8世代) | 10.2インチ | 490g (Wi-Fiモデル) / 495g (Wi-Fi + Cellularモデル) | 第1世代Apple Pencil | 32.4Wh |
| iPad Air (第4世代) | 10.9インチ | 458g (Wi-Fiモデル) / 460g (Wi-Fi + Cellularモデル) | 第2世代Apple Pencil | 28.6Wh |
| iPad Pro (第4世代) | 11インチ | 471g (Wi-Fiモデル) / 473g (Wi-Fi + Cellularモデル) | 第2世代Apple Pencil | 28.65Wh |
| iPad Pro (第2世代) | 12.9インチ | 641g (Wi-Fiモデル) / 643g (Wi-Fi + Cellularモデル) | 第2世代Apple Pencil | 41Wh |
| iPad Pro (第3世代) | 12.9インチ | 631g (Wi-Fiモデル) / 633g (Wi-Fi + Cellularモデル) | 第2世代Apple Pencil | 36.71Wh |
| iPad Pro (第5世代) | 12.9インチ | 約685g (Wi-Fiモデル) / 約687g (Wi-Fi + Cellularモデル) | 第3世代Apple Pencil (別売) | 約40.88Wh |

　できた表に対して項目を追加したい場合は、その項目を追加する指示を出すだけで新しい表に作成し直すことができます。

TJ

価格も追加して表を作り直してください。

2020年以降に発売されたすべてのiPadで、画面サイズ、重量、対応Apple Pencil、バッテリー容量、価格の項目を入れた比較表は以下の通りです。

| iPadのモデル | 画面サイズ | 重量 | 対応Apple Pencil | バッテリー容量 | 価格 |
|---|---|---|---|---|---|
| iPad(第8世代) | 10.2インチ | 490g (Wi-Fiモデル) / 495g (Wi-Fi + Cellularモデル) | 第1世代 Apple Pencil | 32.4Wh | ¥33,800～ |
| iPad Air(第4世代) | 10.9インチ | 458g (Wi-Fiモデル) / 460g (Wi-Fi + Cellularモデル) | 第2世代 Apple Pencil | 28.6Wh | ¥64,800～ |
| iPad Pro(第4世代) | 11インチ | 471g (Wi-Fiモデル) / 473g (Wi-Fi + Cellularモデル) | 第2世代 Apple Pencil | 28.65Wh | ¥89,800～ |
| iPad Pro(第2世代) | 12.9インチ | 641g (Wi-Fiモデル) / 643g (Wi-Fi + Cellularモデル) | 第2世代 Apple Pencil | 41Wh | ¥129,800～ |
| iPad Pro(第3世代) | 12.9インチ | 631g (Wi-Fiモデル) / 633g (Wi-Fi + Cellularモデル) | 第2世代 Apple Pencil | 36.71Wh | ¥109,800～ |
| iPad Pro(第5世代) | 12.9インチ | 約685g (Wi-Fiモデル) / 約687g (Wi-Fi + Cellularモデル) | 第3世代 Apple Pencil(別売) | 約40.88Wh | ¥139,800～ |

　なお、作成した表の順番を変更することも可能です。順番を変えたいときは、「モデルの次に価格を入れた表に作り直してください。」のように指示を出します。

COLUMN

### 表を作成できない場合は？

表を作成するようにプロンプトを入力しても、「公式サイトを確認してください」などといった回答が返ってくることがあります。この場合は、新しいトピックを作ってから質問をやり直します。

CHAPTER 7

# 08 Bingチャット検索をChromeでも使いたい

## 拡張機能を導入すればChromeでも利用可能

Bingチャット検索は、Edgeでないと利用できません。しかし、普段ブラウザーとしてChromeを使っている人の中には、Bingチャット検索もChromeで使いたいという人もいるでしょう。そんな場合は、Chromeの拡張機能「Bing Chat for All Browsers」がおすすめです。この拡張機能を使うと、**ChromeでもBingチャット検索を使えるようになります**。なお、Chromeで使うときもMicrosoftアカウントでのサインインが必要です。

### 1 Microsoftアカウントでサインインする

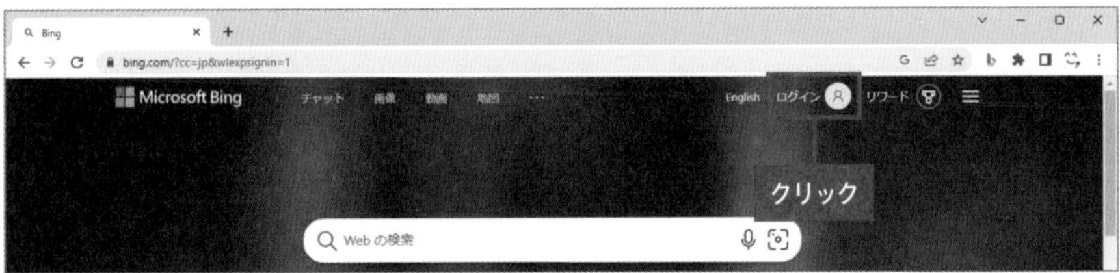


「Bing Chat for All Browsers」をインストールしてBingのページ（https://www.bing.com/）を開き、「ログイン」をクリック。サインイン画面が表示されるので、画面の指示にしたがってMicrosoftアカウントでサインインする

**Bing Chat for All Browsers**

**作者**：cho.sh
**URL**：https://chrome.google.com/webstore/detail/bing-chat-for-all-browser/jofbglonpbndadajbafmmaklbfbkggpo

### 2 Bingチャット検索を開く

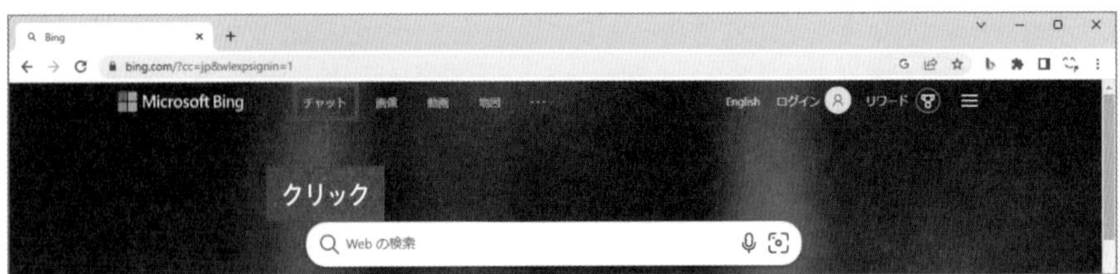


サインインするとBingの最初の画面に戻るので、「チャット」をクリックする

## 3 チャットを開始する

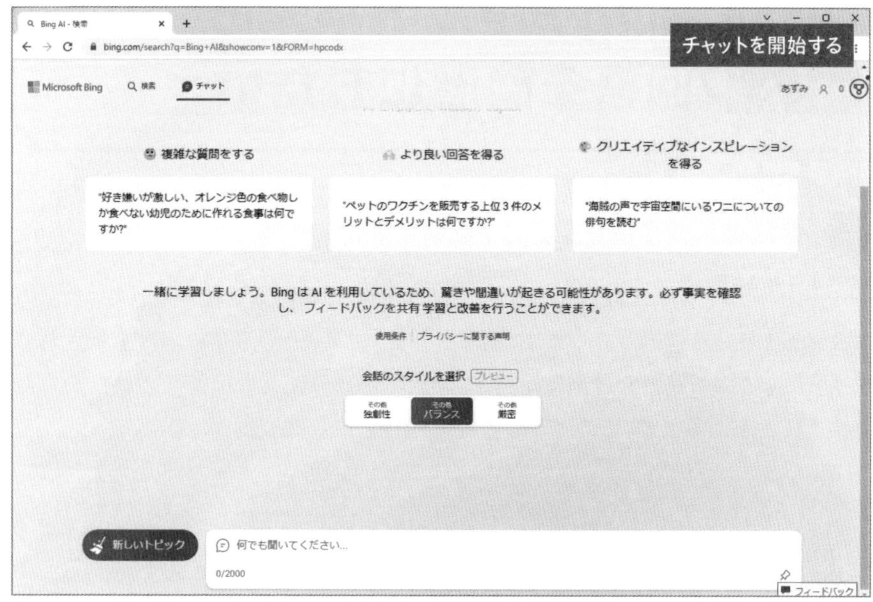


Bingチャット検索の画面が表示される。あとはチャットを開始すればよい。使い方は、Edgeのときと同様だ

**COLUMN**

### すぐに Bing チャット検索を開くには

別のページを開いているときにBingチャット検索へアクセスするのはやや面倒です。しかし、この拡張機能をピン留めしておけば、すぐにBing検索にアクセスできるようになります。なお、Microsoftアカウントでサインインしていない状態でアクセスすると、チャット画面が表示されないので注意しましょう。

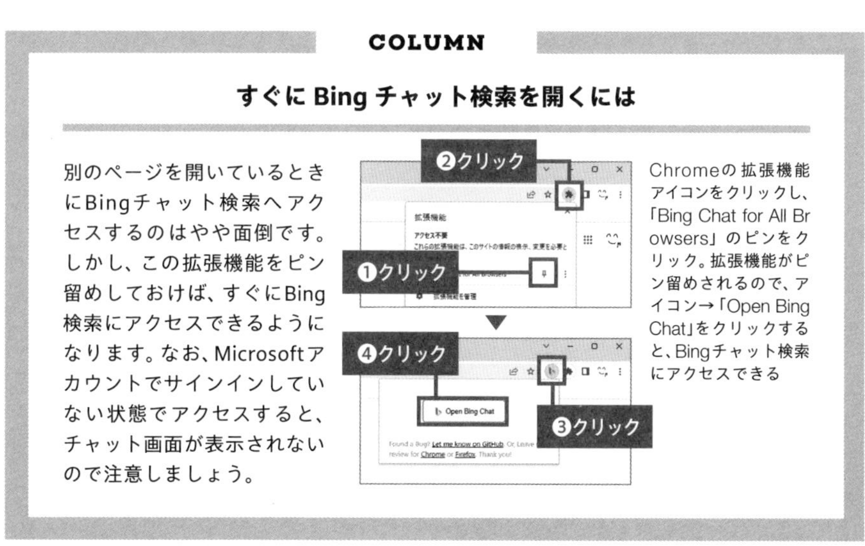


Chromeの拡張機能アイコンをクリックし、「Bing Chat for All Browsers」のピンをクリック。拡張機能がピン留めされるので、アイコン→「Open Bing Chat」をクリックすると、Bingチャット検索にアクセスできる

CHAPTER 7

# 09 Bingチャット検索の回答を簡潔にしたい

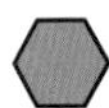

## 会話のスタイルを変更して回答を簡潔にする

Bingチャット検索は、**状況や目的に応じて回答の雰囲気を変えられる「会話のスタイル」という機能があります**。通常、「バランス」というモードが選択されていますが、このモードでは回答が長かったり、あまり正確な回答がされなかったりすることがあります。このような場合は「厳密」に変更しましょう。

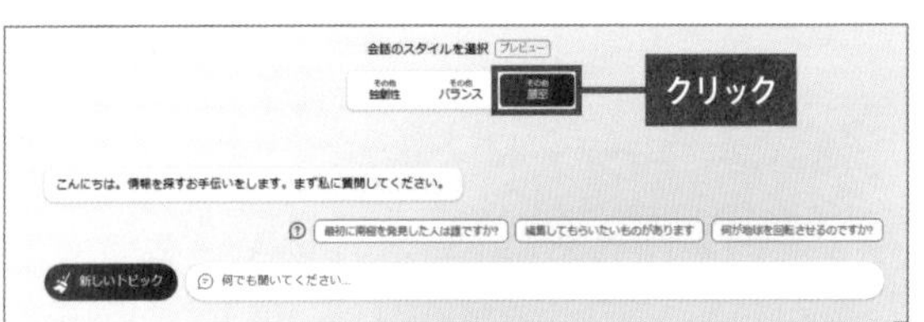


「会話のスタイル」で「厳密」をクリックする。このモードで質問をすると、正確さを重視した、より簡潔な回答が返ってくるようになる

**COLUMN**

### 「会話のスタイル」で選択できる3つのモード

「会話のスタイル」で選べるモードには、「独創性」「バランス」「厳密」の3つがあります。それぞれのモードの特徴は以下の表のとおりです。たとえば、「2024年のセリーグの優勝チームを教えてください」と質問した場合、「独創性」では優勝チームを予想しますが、「厳密」では事実が存在しないため回答をしないといった違いが出ます。

| スタイル | 特徴 | 回答例 |
|---|---|---|
| 独創性 | 「独創的で想像力豊か」な表現を目的とした回答が行われる。正確さよりもユニークな回答がほしいときに選ぶ。 | 2024年のセリーグの優勝チームはまだ決まっていませんが、予想するならば、ヤクルトスワローズが有力候補と言えるでしょう。 |
| バランス | 正確さと創造性のバランスを取ることを目的とした回答を返す。知りたい内容を効率よく調べたいときに選ぶ。 | 2024年のセリーグの優勝チームについては、まだ予想が立っていないようです。ただ、2023年のプロ野球順位予想を行った記事がありましたので、参考にしていただければと思います。 |
| 厳密 | 「正確さと関連性を優先させる」ことを目的とし、簡潔な回答を返す。正確な回答を端的にほしいときに選ぶ。 | ごめんなさい、私は2024年のセリーグの優勝チームについての情報を見つけることができませんでした。他に何かお手伝いできることはありますか？ |

CHAPTER 7

# 10 気になるサイトの特徴を分析してもらう

## アクセス前に有益なサイトかどうか確認

あるウェブサイトにはじめてアクセスする場合、どんな内容のサイトなのか不安を覚えることもあるでしょう。そんなとき、Bingチャット検索で**サイトの大まかな特徴などをアクセス前に調べることができます**。ただし、対象となるサイトによっては、最初の回答は全体的な特徴を簡単に教えてくれるだけです。さらに詳しいことを知りたい場合は質問を重ね、より詳しい情報を教えてもらうといいでしょう。

次のサイトの特徴を教えてください。note.com/moriyakeiichi

note.com/moriyakeiichiというサイトは、守屋恵一さんというデジタル系ライター兼編集者のブログです。サイトの内容は、ChatGPTやBOOX Tab Ultraなどの最新の技術やツールに関するレビューや解説が中心です。サイトの管理者は、YouTube活用大全という本を出版したことがあります。サイトには、ChatGPTの仕組みや使い方や、BOOX Tab Ultraのレビューなどの記事があります。

COLUMN

### URLを入力して危険度を知ることもできる

銀行や証券会社、クレジットカード会社からメールが届いたとき、内容が怪しいと感じたら、そこに含まれているURLをBingチャット検索で調べてみるといいでしょう。怪しいURLを入力してたずねてみると、「どのような危険が考えられるか」を教えてくれます。Bingが必ずしも正しく判断できるわけではありませんが、「危険だ」とされたURLにアクセスすべきではありません。

CHAPTER 7

# 11 おすすめの書籍を提案してもらう

## ニーズに応じた本選びをサポート

ChatGPTで書籍を探すと、架空の著者名で架空の本を紹介されることがあります。これに対して、Bingチャット検索では、**検索してから情報をまとめるため、情報源が誤っていない限り、存在しない著者や本の情報は出てきません。**

なお、どんな本がおすすめされるかは、情報源のページによります。偏った情報を掲載したページをBingが利用した場合、回答も偏ったものになります。その点には注意してください。

営業スキルを学ぶためのおすすめ書籍をレベル別に教えてください。

営業スキルを学ぶためのおすすめ書籍をレベル別にご紹介します。初心者向けの本としては、「営業１年目の教科書」があります。中級者向けには、「訪問しない時代の営業力強化の教科書 営業×マーケティング統合戦略」があります。上級者向けには、「カーネギー話し方入門」がおすすめです。

それぞれの本について、より詳しい情報を知りたい場合は、リンク先をご確認ください。

COLUMN

### オンライン書店を指定して参照させる

たとえば「紀伊國屋書店ウェブストアの売れ筋を参考に、ビジネス関連のおすすめ書籍を教えてください。」のように指示すれば、サイト内のデータを参照して、おすすめをピックアップしてくれます。

CHAPTER 7

# 12 探している本の所蔵図書館を調べる

## 絶版本を収蔵している図書館を簡単に探す

出版から年月が経過しており、絶版・品切れで書店で購入できない本や、古書店では高価なため入手しづらい本を探している場合、図書館が頼りになります。図書館に収蔵されている本を探すには「カーリル」(https://calil.jp)または「CiNii」(https://ci.nii.ac.jp/books) で検索するのが一般的ですが、**Bingチャット検索なら、わざわざそれらのサイトを表示しなくても検索できます**。詳細を確認したければ、結果に表示されたリンクをクリックして、各サイトを確認するといいでしょう。

TJ 「林達夫著作集」という本を所蔵している図書館を教えてください。

AI 「林達夫著作集」を所蔵している図書館は、金沢大学附属図書館、東京大学附属図書館、国立国会図書館、神戸大学附属図書館、名古屋大学附属図書館、京都大学附属図書館、北海道大学附属図書館などがあります。

ここで検索した本は、地方公共団体などが運営する一般の図書館には収蔵されていないため、大学図書館と国会図書館が挙げられています。なお、この結果は「会話のスタイル」で「バランス」を選択して得られたものです。「独創性」を選ぶと、収蔵されている図書館の情報だけでなく、著者の情報なども併せて教えてくれることがあります。

CHAPTER 7

13

# 複数のサイトのレビューをチェックしたい

## 型番などの情報を伝えればすぐに要約できる

ある製品を購入すべきか知りたいとき、複数のサイトのレビューをひとつひとつ検索して調べるのは面倒です。最新の情報も参照して回答するBingチャット検索であれば、**製品を伝えるだけで簡単にメリットやデメリットを要約してまとめることができます**。なお、このような使い方をする場合は、製品名より製品の型番で指定したほうがより正確な情報が得られます。

TJ

5つ以上のサイトでU4021QWのレビューを参照し、メリットとデメリットをそれぞれ3つ以上挙げてください。

DELL U4021QWのレビューを5つ以上のサイトで参照し、それぞれのメリットとデメリットを3つ以上挙げてくださいとのことですね。以下に、検索結果から得られた情報をまとめてみました。

【メリット】
・解像度が5K2Kで非常に綺麗な画面が表示される。
・ドッキングステーション機能が付いており、接続性が良い。
・40インチの大画面で作業効率が上がる。

【デメリット】
・価格が高い。
・輝度が不足している。
・音声出力がない。

以上、参考になれば幸いです。もし何か他に知りたいことがあれば、お気軽にお聞きください。

CHAPTER 8

# ChatGPTをもっと使いこなすには

CHAPTER 8

# 01 平易な文章で解説させる

## 難しい言葉を使わずに回答させることもできる

ChatGPTは、質問の指示が詳細であるほどより正確な回答を得られますが、専門用語や難しい言葉を使った回答が返ってくることがあります。もし、**もっとわかりやすい回答がほしい場合は、誰に向けた回答かを追加すると効果的です**。たとえば、平易な言葉遣いで回答してもらいたいときは、「小学3年生でもわかるように」などといった指示を付け加えます。

TJ

小学3年生でもわかるように税金について教えてください。

税金とは、国や自治体がみんなからお金を集めることです。お金を集める理由は、みんなが使う公共サービスやインフラストラクチャーを作ったり、維持したり、改善したりするためです。公共サービスには、学校や病院、道路、公園、消防署などがあります。

税金の種類には、所得税、消費税、住民税、固定資産税、自動車税などがあります。それぞれ、誰が課税対象になるか、税率がどのくらいか、どのような形で納付するかが決まっています。

税金を納めることは、みんなで公共サービスやインフラストラクチャーを使いやすくするために大切なことです。税金について詳しく知りたい場合は、親や先生に聞いてみたり、国税庁のホームページなどを見てみると良いでしょう。

# CHAPTER 8 02 回答が途中で切れたときに続きを書いてもらう

##  長い回答は途中で切れることがある

ChatGPTでは回答が長くなると、途中で回答の出力が止まってしまいます。そんなときは、**「続きを書いてください」「続き」「go on」などというプロンプトを使うと、続きが出力されます**。もしうまく流れが続かない場合は、回答の最後の部分をコピー&ペーストして「これの続きを書いてください。」などと指示しましょう。

TJ

効果的なプレゼンテーションについて教えてください。

効果的なプレゼンテーションには、以下のポイントがあります。
1.目的を明確にする：プレゼンテーションを行う前に、何を伝えたいのかを明確にすることが大切です。プレゼンテーションの目的を明確にすることで、聴衆にとってより理解しやすい内容を伝えることができます。
（中略）
6.質疑応答に対応する：プレゼンテーションの最後には、質疑応答の時間を設けることが大切です。聴衆からの質問に対して、自信を持って答えることで、聴衆にとって満足度の高いプレゼンテーションを行うことができます。

TJ

続きを書いてください。

7.ストーリーテリングを取り入れる：プレゼンテーションにストーリーテリングを取り入れることで、聴衆にとって興味深く思わせることができます。ストーリーテリングは、情報を伝えるだけではなく、聴衆の感情に訴えることができます。（後略）

CHAPTER 8

# 03 質問を繰り返して求める回答を得る

## 詳細を追加して範囲を絞り込んでいく

質問する内容が漠然としていたり、範囲の広い内容だったりすると、ChatGPTの回答に満足できないことがあります。そんなときは、こちらから**追加情報を添えて、方向性を絞り込むような質問を重ねていくといいでしょう**。

アメリカの消費税について教えてください。

アメリカ合衆国には、国民全体に対して一律の消費税が存在しません。代わりに、州や地方自治体によって独自の消費税が導入されています。一般的に、商品やサービスにかかる消費税率は、地域によって異なります。

例えば、ニューヨーク市では、現在、総合消費税率が8.875%で、州税が4%、市税が4.5%、地方税が0.375%で構成されています。他の州や地方自治体では、消費税率が異なる場合があります。また、一部の商品やサービスには、特別な税率が適用される場合があります。

ただし、アメリカには連邦税として「販売税」という税金があります。これは、一部の特定の商品やサービスに課される消費税のことであり、州や地方自治体の消費税とは別に徴収されます。具体的には、タバコ、アルコール、通信サービス、航空券、医療機器などに課せられる場合があります。

ここでは、まずアメリカ合衆国の消費税について質問しました。州や市によって消費税の税率などは異なるので、地域を限定したり、あるいは**「詳しく」または「簡単に」といった文言を追加することで、回答の内容は大幅に変化します**。必要に応じてさらにキーワードを追加しながら質問を繰り返しましょう。

CHAPTER 8

# 04 ChatGPTの回答の精度を上げる(1)

## 必要ならChatGPTからの質問を促す

ChatGPTに慣れてくると、「どう質問すれば、ChatGPTからうまく回答を引き出せるか」という点に目が行きがちですが、**欠けている情報がないかをChatGPTに質問してもらうのも有効です**。

TJ

新店舗の内装のアイデアを提示してください。

このタスクで最高の結果を出すために、追加の情報が必要なら質問してください。

AI

新店舗がどのようなタイプの店舗か、どのような商品やサービスを提供するのかについて、詳細を教えていただけますか？また、その店舗がどのような雰囲気を目指しているのか、ターゲットとする顧客層がどのような人たちかについても教えていただけますか？それによって、より適切なアイデアを提供することができます。

このようにChatGPTに質問してもらい、こちらが丁寧に答えることで、よりよい回答が得られます。

TJ

新店舗は低価格のアパレル雑貨を扱う店舗で、大規模商業施設の下層階に位置します。ターゲットはティーンエイジャーから大学生くらいまでで、明るくポップな雰囲気を目指しています。

AI

ありがとうございます。以下は、新店舗の内装アイデアのいくつかです。
(後略)

CHAPTER 8

# 05 ChatGPTの回答の精度を上げる(2)

## 「ステップバイステップで」と付け加えて質問する

少し難しいと思われることをChatGPTに対してシンプルに質問した場合、回答として短めの概要説明だけが提示されて、今ひとつわかりやすさに欠けることがあります。とくに、多数の手順を伴うような複雑なケースではなおさらです。

これを避けるには、**プロンプトに「ステップバイステップで」という言葉を付け加えて質問してみましょう**。すると、箇条書きを駆使して、手順がよくわかるように整理された説明を含む回答を得られます。

ABC分析とは何かをステップバイステップで教えてください。

ABC分析は、在庫管理や調達管理などのビジネス分野で使用される重要性分析手法の1つであり、主に製品やサービスの優先順位を決定するために用いられます。以下にABC分析のステップバイステップの手順を説明します。

1. ステップ1:対象となるアイテムを決定する

ABC分析の最初のステップは、分析の対象となるアイテムを決定することです。例えば、商品の在庫管理の場合、対象となるアイテムは在庫にある商品のリストです。

2. ステップ2:アイテムの売上高やコストを集計する

次に、対象となるアイテムの売上高やコストなどの情報を収集します。例えば、商品の在庫管理の場合、各商品の年間売上高や製造コストを集計します。
(後略)

CHAPTER 8

# 06 ChatGPTの回答の精度を上げる(3)

## 英語で質問をすると回答の精度がアップする

ChatGPTは多くの言語に対応しており、どの言語で質問してもそれなりの回答が返ってきます。しかし、自然言語処理の分野では英語が最も研究の進んでいる言語ですので、**英語で質問すると回答の精度が最も高くなります**。

とはいえ、英語で質問するのは難しいという人は多いでしょう。そんなときは、**日本語で入力した質問を英訳し、得られた回答を日本語訳するように指示を出します**。これで日本語で質問するよりも、回答精度のアップが期待できます。

次の質問を英訳して、英語で回答してください。また、その回答を日本語に訳してください。

ChatGPTがこれから向かう展望を簡単に要約してください。

Summary of the prospects that ChatGPT is heading towards:

ChatGPT is expected to continue advancing in the field of natural language processing, with ongoing efforts to improve its language understanding and generation capabilities. (中略)

ChatGPTが進む展望は以下のようになります。

ChatGPTは自然言語処理の分野でさらに進歩し、言語理解や生成能力の向上に向けた取り組みが継続されることが期待されています。
(後略)

CHAPTER 8

# 07 ChatGPTの回答の精度を上げる(4)

## 「深津式プロンプト」を利用してみよう

「深津式プロンプト」は、note株式会社CXOの深津貴之さんが提示したプロンプト・システムのことです。以下のようなテンプレートに沿って質問を整理してまとめてからChatGPTに指示することにより、**得られる回答を最適な方向に絞り込むことができるため、何度も質問を繰り返す手間が省けます**。

### 深津式プロンプトのテンプレート

\# 命令書
あなたは○○○の□□□です。　**⬅職業など立場を規定**
以下の制約条件から◇◇◇の△△△を出力してください。　**⬅欲しい情報の種類や形式を指定**
\# 制約条件:
**(命令の内容を補足・限定するような条件を箇条書きで列挙する)**
\# 入力文:
**(要約などで取り扱うテキストがある場合はココに貼り付ける)**
\# 出力文:

「あなたは○○○の□□□です」の部分には、「最高のプランナー」や「プロのアナリスト」などのように、ポジティブな言葉＋職業や立場を表す言葉を入れます。「◇◇◇の△△△を出力」の部分には、「最高の説明」とか「ベストな提案」などのように、ポジティブな言葉＋得たい出力結果を表す言葉を入れます。

\# 命令書:
あなたは最高のエディターです。

以下の制約条件からベストな要約を出力してください。

# 制約条件:
・文字数は100文字程度。
・想定読者は中学生。
・重要なキーワードは必ず盛り込む。
・簡潔なわかりやすい文章で。

# 入力文:
一般に「会社」と呼ばれるものの多くは「株式会社」という形態で、会社は出資者から出資金を得る代わりに株式という一種の権利を発行します。以前、株式は「株券」という紙の形のものでしたが、現在では電子化されています。株式を所有している場合、株主総会の投票によって意見を表明できるほか、業績が良ければ「配当金」という形で金銭的な利益が得られることもあります。また、その会社が成長して株式の値段（株価）が上昇すれば、最初に株式を得たときよりも高い値段で売却することができるので、差額を利益として得られます。ただし、株式を売却すると、株主総会で投票したり、配当金を受け取る権利を失います。

# 出力文:

「株式会社」と呼ばれる会社は、出資者からお金を得て、株式を発行します。株主は投票や配当金で利益を得られるほか、株価が上がれば売却して利益を得ることもできます。ただし、株を売ると権利を失います。

要約などのような事例と違って、もとになるデータや文章がない場合、「# 入力文:」の欄は空白のままでかまいません。

COLUMN

## 命令書で指定する職業あれこれ

深津式プロンプトを使う際、ビジネスなどのお硬いものを想定しがちですが、そうでない分野でもかまいません。たとえば「プロのインテリアデザイナー」として自宅の模様替えプランを作成してもらったり、「経験豊富なカウンセラー」としてプライベートなことを相談してみたり、「最高のベビーシッター」として子供が喜びそうな遊びを提案してもらったり……などといった使い方もOKです。

CHAPTER 8

# 08 長文をChatGPTに読み込ませる(1)

## 分割して先に読み込ませてから最後に指示を出す

ChatGPTでは、一度に入力できる文字数に制限があります。しかし、**テキストを分割して読み込ませて記憶させ、最後に指示を与えるという方式をとれば、かなりの長文でも扱うことができます**。ただし、明確に指示待ちの要求を行わないと、途中で勝手に作業を始めてしまうことがあるので注意が必要です。

TJ

これからテキストを複数に分割して渡すので、その内容を要約してください。
私が「要約してください」と言うまでは、要約の作業を始めないでください。
代わりに「次の入力を待っています」とだけ出力してください。

AI

分割されたテキストの内容を要約するためには、分割されたテキストが提供される必要があります。要約の作業を開始する前に、入力の待機を知らせるために「次の入力を待っています」と出力するように指示されました。

TJ

小さな商店であれ、大企業であれ、金銭の動きを正確に記録することは欠かせません。コンピュータによる会計システムを導入しているとしても、その運用や開発について深く理解するためには、IT系の知識だけでなく、複式簿記についての全般的な理解が必要です。

上のテキストは全体の一部です。
まだ要約しないでください。

了解しました。入力を待機しています。

TJ

複式簿記を学ぶには、さまざまな方法があります。いわゆる専門学校に通ったり、通信教育で学ぶのもいいでしょう。市販の簿記の教科書を買ったり、学習アプリなどを活用する方法もあります。

上のテキストは全体の一部です。
まだ要約しないでください。

了解しました。入力を待機しています。

TJ

私がおすすめするのは、検定試験を受験することです。試験には期限がありますし、合格基準も明確なので、学習の短期的な目標が立てやすくなります。検定試験を実施している団体はいくつかありますが、世間の認知度が高いのは日本商工会議所が実施する、いわゆる「日商簿記」です。

上のテキストは全体の一部です。
まだ要約しないでください。

了解しました。入力を待機しています。

TJ

要約してください。

このテキストは、金銭の動きを正確に記録することが重要であり、IT技術だけでなく複式簿記の全般的な理解が必要であることを述べています。複式簿記を学ぶ方法として、専門学校や通信教育、簿記の教科書や学習アプリを利用することが挙げられますが、検定試験を受験することをオススメしています。特に、日本商工会議所が実施する「日商簿記」は世間で認知度が高く、短期的な学習目標を立てやすいとされています。

CHAPTER 8

# 09 長文をChatGPTに読み込ませる(2)

## 専用サービス利用で簡単に長文を要約するには

ChatGPTでは、プログラムと同様にプロンプトでの変数の使用が可能です。**変数にテキストを格納することで、長文を扱うことができるようになります**。ただ、命令の記述やテキストの分割は面倒なので、ここでは専用のサービス「ChatGPT対応 長文分割ツール」(http://www.split.aitools.tokyo/)を使って手軽に長文を要約する方法を紹介します。

### 1 読み込ませたいテキスト全体を貼り付ける

ChatGPTに読み込ませたいテキスト全体をコピーしたら、「ChatGPT対応 長文分割ツール」のWebページを開いてコピーしておいたテキストを貼り付けてから、「分割する」をクリック。横の文字数は、デフォルトの「2000文字」のままでよい

### 2 文章が分割される

コピー

クリック

分割された文章を上から表示し、「コピー」をクリック。ChatGPTのプロンプトとしてペーストしてEnterキーを押す。これを順番に実行していく

最後までChatGPTに文章を読み込ませると、以下のように読み込ませた文章すべてをまとめた文章が出力されます。

[sec1]～[sec3]の内容をまとめて記事を書いてください。

本記事は、「娯楽と幸福の関係性について」をテーマとして掲げ、[sec1]から[sec3]で述べられた内容をまとめたものです。

[sec1]では、娯楽についての定義や、娯楽が持つ重要性、そして娯楽には様々な種類があることが述べられました。娯楽は、人々のストレスを軽減したり、リラックスさせたりする効果があるため、生活において必要不可欠なものであるとされています。

[sec2]では、幸福という概念について説明がされました。幸福とは、個人の主観的な感情であり、人それぞれが幸福の定義や目標を持っていることが強調されました。また、幸福の要素には、健康や人間関係、自己実現などが挙げられました。

[sec3]では、娯楽と幸福の関係性について掘り下げられました。娯楽を目的とすることは、幸福を追求するための手段としては有効ではないとされています。娯楽は、あくまで幸福の追求において必要な手段であり、娯楽を通じて得られる快楽が幸福の源泉となるわけではないと主張されました。
(後略)

COLUMN

### 長文を読み込ませるとエラーが生じた！

ChatGPT無料版では、利用する時間帯によってはサーバーに負荷がかかって、反応が悪くなることがあります。そんなときは、前ページの手順2で分割されたテキストの最初の「変数を…（中略）…答えてください。」だけをコピーし、ChatGPTにプロンプトとして貼り付けて実行します。次に、残りの部分を同様に実行し、あとはこのページの上と同じ手順で文章を書いてもらいます。

CHAPTER 8

# 10 ChatGPTでのやりとりを音声で行う

## 英会話の学習などに活用できる

ChatGPTはテキストでやりとりするのが基本ですが、Chromeの拡張機能**「Voice Control for ChatGPT」を使えば、音声でのやりとりが可能になります**。プロンプトも回答も音声で行えるので、英会話の学習に最適です。なお、読み上げ言語に日本語を設定してしまうと、英文がカタカナ英語のような発音で読み上げられてしまうので、英会話に使う場合は「English (US)」を選択しましょう。

### 1 読み上げ言語を設定する

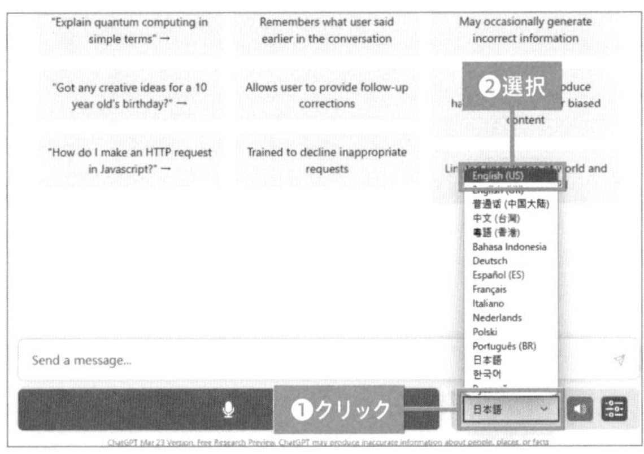


「Voice Control for ChatGPT」をインストールすると、ChatGPTのプロンプト欄の下に操作領域が追加される。英会話で使う場合は、横にある「日本語」をクリックし、「English(US)」を選択する

**Voice Control for ChatGPT**

**開発者**：Theis Frøhlich

**URL**：https://chrome.google.com/webstore/detail/voice-control-for-chatgpt/eollffkcakegifhacjnlnegohfdlidhn

### 2 聞き取り状態をオンにする

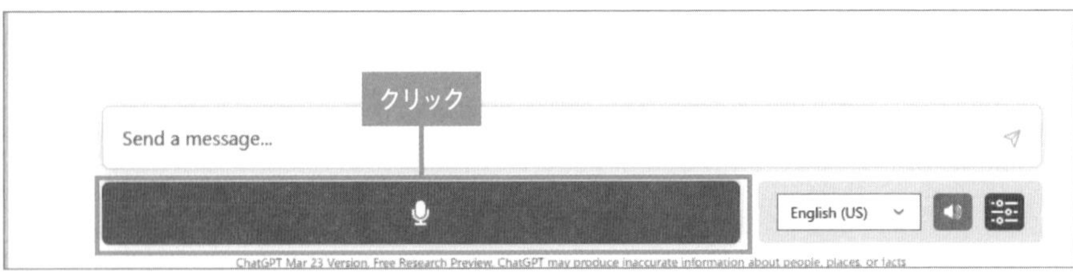


言語の設定が終わったら、マイクアイコンのある横長のボタンをクリックする

## 3 マイクに話しかける

聞き取りモードになるので、パソコンのマイクに指示内容を話しかける。ここでは、英語で「talk to me」と話しかけた。認識した語句がボタン上に表示されるので、問題なければそのままボタンをクリックする

## 4 回答が音声で読み上げられる

話しかけた内容がプロンプトとして実行され、表示された回答が音声で読み上げられる

### COLUMN

### 読み上げ速度は調整が可能

標準設定では読み上げ速度はノーマルに設定されていますが、好みに応じて速度を調整することが可能です。英語学習の初心者などで、標準ではヒアリングしづらい場合は、やや遅めに設定しておくといいでしょう。

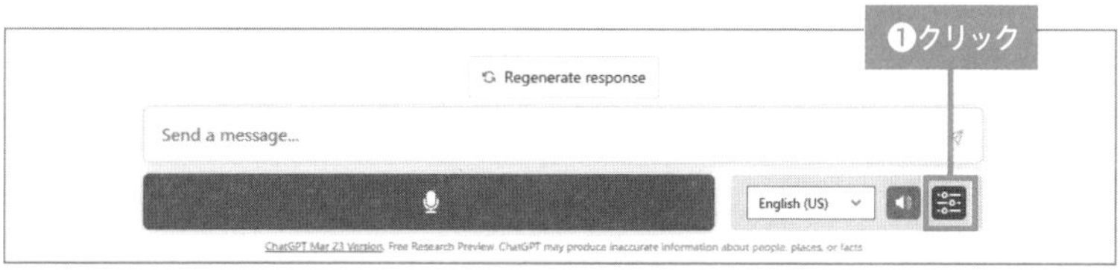

①クリック

②左右にドラッグして調整

読み上げスピードは、スピーカーアイコンの右にある設定アイコンをクリックし、「Read aloud speed」のスライダーをドラッグして調整できる

CHAPTER 8

# 11 ChatGPTとの会話記録を保存したい

## チャットをテキストファイルで保存できる

ChatGPTのチャット履歴は自動で保存されますが、ChatGPT側で障害などが発生して消えてしまう可能性があります。もし、保存しておきたいチャット履歴がある場合は、手動で保存したほうがいいでしょう。コピー＆ペーストでは面倒なので、Chromeの拡張機能「Save ChatGPT」を使います。この拡張機能は、**チャット履歴をテキスト形式のファイルとして保存することが可能です**。

### 1 拡張機能をピン留めする

「Save ChatGPT」をインストールしたら、Chromeの拡張機能アイコン→「Save ChatGPT」のピンをクリック。「Save ChatGPT」がピン留めされる

**Save ChatGPT**

**開発者**：Next Block
**URL**：https://chrome.google.com/webstore/detail/save-chatgpt/iccmddoieihalmghkeocgmlpilhgnnfn

### 2 保存するチャットを開く

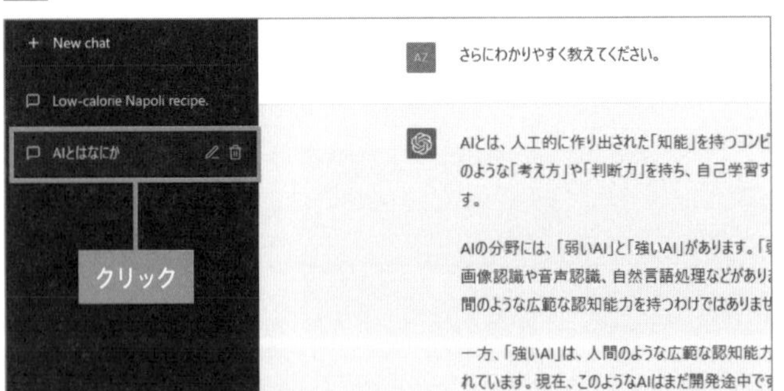


ChatGPTを開き、画面左上のチャット履歴から、保存するチャットをクリックする

## 3 チャットを保存する

ピン留めした「Save ChatGPT」アイコンをクリック。表示された「Save As」をクリックする

## 4 保存してファイルを開く

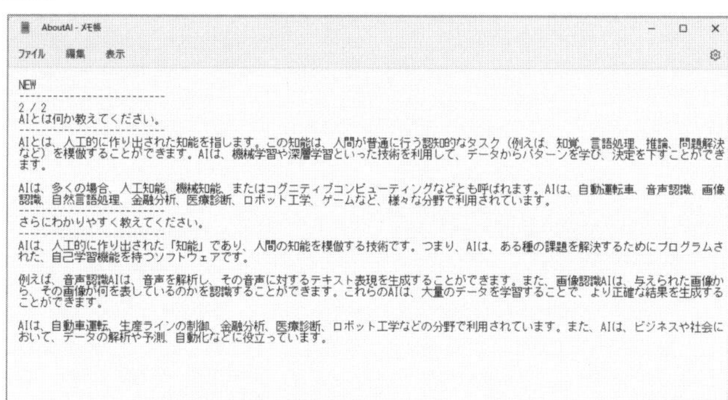


「名前を付けて保存」ダイアログが表示されるので、保存場所を選択する。ファイル名の最後に「.txt」と入力し、「保存」をクリックすると保存できる。保存したテキストファイルを開くと、チャットの内容が古いものから順番に確認できる

**COLUMN**

### 会話記録全部を一度に保存するには

会話記録の保存機能は、ChatGPTのシステムからも提供されています。ChatGPTのプロンプト入力画面左下の「Settings」→「Export data」をクリックすると、出力するかどうかをたずねられるので「Confirm export」をクリックします。すると、登録したメールアドレス宛にダウンロードリンクが送られてきます。リンクをクリックすると、会話記録をHTML形式に変換し、さらにZIP圧縮したファイルをダウンロードできます。あとは、ブラウザーなどで読み込めば表示されます。

CHAPTER 8

12

# Gmailで手軽にChatGPTを利用する

## 「ChatGPT for Gmail by cloudHQ」を使う

ChatGPTをメールに使うと、返信を簡単に書くことができます。ただ、メールの文面や回答をコピー&ペーストしたり、画面を切り替えたりする手間があります。そんなときは、Chromeの機能拡張「ChatGPT for Gmail by cloudHQ」で使い勝手をアップしましょう。

「ChatGPT for Gmail by cloudHQ」はブラウザーの**Gmailでメッセージの作成を行う際、わざわざChatGPTの画面に移動しなくても内容を自動生成する機能が利用できます**。数行の箇条書きを入力するだけなので、手軽に時短できます。

### 1 新規メールでChatGPT for Gmailを呼び出す

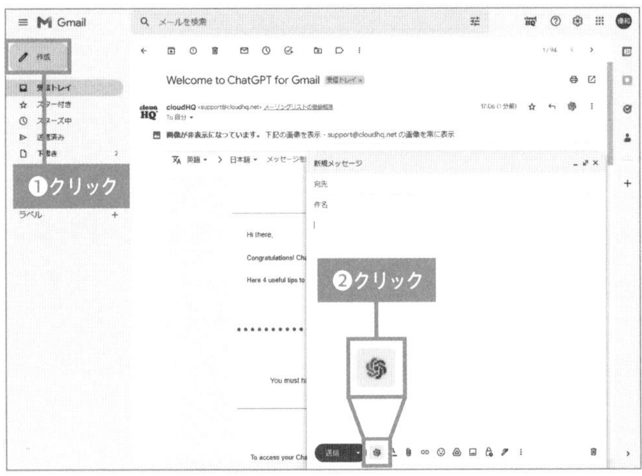


「ChatGPT for Gmail」をインストールしてGmailにアクセスしたら、「作成」をクリック。「新規メッセージ」画面が表示されたら、左下にある「ChatGPT for Gmail」アイコンをクリックする

**ChatGPT for Gmail by cloudHQ**

**開発者**：cloudHQ LLC
**URL**：https://chrome.google.com/webstore/detail/chatgpt-for-gmail-by-clou/fcblgiphlneejkokhnaagmjombnfdnog

## 2 メールの概要を入力して自動生成を開始する

メールに盛り込みたい要素を入力し、「Generate email」をクリックする

## 3 生成されたメールの内容を確認・修正して送信

メールの作成画面に件名や本文が生成されるので内容を確認し、必要に応じて修正する。宛先などを設定したら、「送信」をクリックする

**COLUMN**

### Google「Bard」はChatGPTの有力ライバル!?

ChatGPTが多くのユーザーを集めたため、似たようなサービスがいろいろと出てきました。多くは開発中または単なる開発表明ですが、その中でGoogleが公開した「Bard」が最も注目を集めています。Googleは以前から大規模言語モデルの開発に取り組んでいましたが、インターネット検索の最大手として現状に手をこまねいているわけにもいかず、当初の予定よりも公開を早めたものと推測されます。
「Bard」は本来「吟遊詩人」という意味です。ChatGPTに対する大きなアドバンテージとしては、最近のインターネット上の情報を反映した回答を生成できるという点があります。一方でChatGPTと比べて回答の生成が遅かったり、不正確な回答が多いという欠点も見受けられるようです。ただ、こうした点は開発が進めば改善が期待されるでしょう。
「Bard」は先日、日本語に対応し、日本国内でのサービス提供が開始されました。
https://bard.google.com

**STAFF**

執筆協力／守屋恵一、宮下由多加、
岩渕 茂、折中良樹

編集協力／クライス・ネッツ

カバーデザイン／小口翔平、奈良岡菜摘
(tobufune)

本文デザイン／森 雄大

カバー・表紙イラスト／セキサトコ

**ChatGPT**
**120%活用術**

2023年5月24日 第1刷発行
2023年8月 1日 第5刷発行

著者 ChatGPTビジネス研究会

発行人 蓮見清一

発行所 株式会社宝島社

〒102-8388
東京都千代田区一番町25番地

電話：(編集) 03-3239-0928
(営業) 03-3234-4621

https://tkj.jp

印刷・製本 サンケイ総合印刷株式会社



ISBN 978-4-299-04300-9